*L'enfant
qui voulait être muet*

Bernard Maris

L'enfant qui voulait être muet

ROMAN

Albin Michel

© Éditions Albin Michel S.A., 2003
22, rue Huyghens, 75014 Paris
www.albin-michel.fr
ISBN 2-226-13603-7

À Sylvie Genevoix

« Les ombres, les flambeaux,
les cris et le silence... »

Britannicus, RACINE

Prologue

Mon nom de scène est Dumont, Julien Dumont. Cette saison-là, je jouais Néron. Lors de la cinquième représentation de *Britannicus*, j'eus un malaise au terme de la représentation et, la main sur la poitrine, je quittai la scène.

Plus tard, dans la loge, tandis que la salle applaudissait sans vouloir partir, je fixai mon visage orgueilleux dans la glace, économe de mon souffle, conscient de ma vie repêchée, incertaine, comme un poisson mal accroché. On frappa. « Quand bien même serait-ce la Mort... »

On dit qu'au Moyen Âge elle protégeait les enfants abandonnés. Elle m'avait déjà protégé. Impressionnée – peut-être n'était-elle pas encore la Mort – une femme apparut.

— J'ai menti. J'ai dit que j'étais votre mère... On m'a laissée entrer.

L'enfant qui voulait être muet

L'ange du silence passa.

Une griffe serra mon cœur, et les souvenirs affluèrent. Six mois qui furent le miracle de ma vie. Six mois.

1

J'ai connu la tour de Babel. Babel qui touche les cieux, lieu de la musique céleste et de la langue unique, des voyelles en couleurs et des images sonores, n'est autre que le ventre maternel. Voilà pourquoi les bains prolongés, m'a dit un jour le philosophe, sont propices à la réflexion sur le langage. Je me souviens parfaitement de ce que j'entendais dans le ventre de ma mère : le souffle rassurant de ses poumons, les battements de son cœur, sa voix d'alto, suave, parfois, hélas, vibrante comme une scie ; les hurlements sourds de mon père, qui faisaient résonner le nid fœtal telle une grosse caisse ; les menaces nasillardes et sèches, à la vietnamienne, de mon grand-père. Plus la naissance approchait, plus ça bardait et ça criait. C'était en 1972, un 22 septembre.

Dès la sortie, je babillai sans trêve afin de

couvrir ce vacarme. Je piaillai courageusement. Au point que des infirmières me firent le « test de la tétine » : on mesurait mes mouvements de succion en faisant parler tantôt l'un, tantôt l'autre. Je tétai éperdument à la voix angélique de ma mère. Puis tout le monde décampa, mère, père, grand-père, les autres. On s'était débarrassé de moi.

Voilà comment, ballot passant de bras en bras, entre de longues périodes d'abandon et de solitude, de silences et de lent décryptage des hiéroglyphes de pauvres tapisseries, je découvris d'autres parlers. De l'espagnol, et de l'arabe. Du vietnamien, et du portugais. Les idiomes variaient selon les nounous et les enfants gardés avec moi, les amants de ma mère quand elle me récupérait, et les maîtresses de mon grand-père quand il héritait du fardeau.

La première personne qui se mit vraiment en tête de m'apprendre quelques mots de français fut Mamita, une Péruvienne qui n'en savait pas dix. Je devais avoir neuf ou dix mois. La DASS, Direction de l'action sanitaire et sociale, qui aura dans cette histoire le visage de Mlle de Séguier, une charmante vieille fille, m'avait placé dans une famille d'accueil du

XVIIIe arrondissement. J'étais en compagnie d'une fillette à peine plus âgée, pâle et sombre, aux yeux perpétuellement coupables. Mamita ne parlait que le castillan, la belle langue du *r* roulé grave, des doubles conditionnels et des superlatifs.

Un mois plus tard, commençant déjà à bien marcher j'eus une nounou tunisienne, Fatma, dans le Xe arrondissement. Elle arabisa complètement mon français espagnolisé. Nous parlions arabe en continu, accroupis l'un en face de l'autre, à la tunisienne. Puis je fus brièvement récupéré par mon grand-père, Pierrot. Pierrot est le joyeux rejeton d'une prostituée vietnamienne et d'un Européen, né à Hanoi avant la Seconde Guerre, en 1923 je crois, et revenu en France par on ne sait trop quel mystère. Je fus donc formé au parler vietnamien de Li, sa compagne du moment. Elle tenait un restaurant. Pierrot aidait, c'est-à-dire encombrait aux cuisines et ailleurs, payait des coups et siphonnait la caisse. Je suivais attentivement les disputes. Ça l'agaçait. Il s'énervait contre moi en français. Je répliquais en vietnamien. Il montait d'un cran en vietnamien. Je hurlais en français. Li me serrait dans ses bras et me consolait dans son patois. Pourtant, un matin où tout semblait aller pour le mieux, elle nous flanqua dehors.

Ainsi, je vagabondai entre mère, grand-père et nourrice, et, chaque fois, profitai de nouveaux pidgins.

Je possédais un incroyable don pour les langues. Je sus former des phrases dans cinq ou six idiomes dès l'âge de un an et demi, je dis bien un an et demi, soit plus d'un an avant la moyenne des enfants qui n'ont entendu que leur langue maternelle ! La musique des mots, dont on ne perçoit pas encore le sens, était la chose (est encore aujourd'hui, pour l'adulte que je suis) la plus merveilleuse du monde. Comment l'humanité était-elle capable de produire quelque chose d'aussi beau ? Boire les paroles... Je ressentais physiquement ce plaisir, aussi grand, pour moi, nourrisson à qui certains adultes mesuraient chichement les paroles, que celui de téter. J'engrangeais, j'accumulais, avare joaillier, les mots.

Heureusement m'entouraient, prolixes fournisseurs, les autres enfants, les copains. Chaque nouvelle langue redéfinissait l'univers. Par exemple, celle, bizarre et policée, d'un petit

Anglais, lors d'un été lumineux de conversations entre gentlemen au bord de la piscine en plastique d'une crèche avec force palatales et diphtongues du bout de la langue. Me ravissaient les *h* des phrases amoureuses de la maman récupérant son fils, et ce *l* que fait traîner la langue contre le palais, un peu comme en vietnamien. Elle m'embrassait au passage, parfumée au vétiver, chantonnant « The Daffodils » (*When all at once I saw a crowd / A host of dancing daffodils...*), le poème que scandent si bien tous les enfants Anglais, et je m'abreuvais, émerveillé, à ses lèvres. Les lèvres humaines me fascinent. Je vois d'abord les lèvres, je leur parle. Certains ont un violon dans la bouche, d'autres un ustensile de cuisine. La mère de mon ami Anglais parlait comme un stradivarius.

Puis il y eut un peu d'orphelinat (de nos jours on ne dit plus orphelinat, on dit « MECS » « Maisons d'enfants à caractère social ») et la chance de rencontrer les jeunes immigrés de la nouvelle génération, suite à la politique de regroupement familial. M'attiraient les petits Noirs. Que parlais-je ? Le bambara ? Le bamikélé ? Le swahili ? Un peu tout. J'aimais ces langues si lointaines. Ensuite, dans

15

ces temps de brassage, avant que ne se referme le robinet de l'immigration ce furent les Croates, les Macédoniens... J'avalai, boulimique, les miettes de la civilisation austro-hongroise.

Deux ou trois fois par an, Fleur, ma mère, me récupérait. J'étais tellement heureux que je pleurais de joie pendant une bonne heure, jusqu'à ce qu'elle m'abandonne, excédée, un mauvais goûter à portée de main. Elle revenait, et je me retenais alors de pleurer de joie, en vain évidemment : dès qu'elle daignait m'offrir un peu de sa jolie voix grave, déplacée dans son corps si menu, je fondais. « Oh ! Ta gueule, à la fin ! » « Pas pleu-ler, hein, Jules ? » ajoutait Pierrot.

Que dire de Fleur ? À peine seize ans de plus que moi, globalement de bonne humeur, avec un air de se foutre du monde et des yeux rieurs, elle riait souvent, même en rêvant. D'habitude, les gens gémissent ou parlent... Et elle : ah-ah-ah ! aux éclats. Je me penchais : minois hilare. Ses colères étaient rares, courtes et brutales. Elle était cajoleuse et indifférente. Hors périodes d'amours, ou cas d'amants tolérants, je dormais avec elle – quand elle était là...

Elle était pour l'ordre, la famille, la patrie, la religion, croyait en Dieu. J'imagine qu'elle y croit toujours. Elle était raciste. Enfin... raciste comme son père, qui ne fréquentait que des métèques, lesquels, comme lui, vitupéraient l'immigration. Elle et lui étaient entourés de personnages incapables de subir beaucoup de contraintes. Capables de peu de choses, en fait.

— Comment peut-on vivre avec rien ? se demandent les gens.

Eh bien, nous vivions avec rien. La nourriture était bonne, même si dominaient les nouilles et les pommes de terre. Pendant les périodes d'austérité, Fleur n'avait pas son pareil pour faire la fin des marchés, trier dans les cageots de salades ou d'oranges pendant que passaient les éboueurs. Elle avait ses entrées au supermarché où elle récupérait les denrées périmées prêtes à partir à la fabrique d'aliments pour le bétail qui nous revient en steak haché. Et c'était une bonne voleuse. Vu l'efficacité, déjà, de la surveillance électronique, c'était même une très bonne voleuse. J'ai souvent eu droit au faux caviar et à l'insipide saumon fumé. À plusieurs reprises, elle se fit prendre. Elle monnaya sa liberté.

Parfois Fleur gagnait de l'argent de droite et de gauche, qui s'ajoutait aux diverses allocs que lui obtenait Mlle de Séguier. Entre l'aide sociale, l'allocation logement, l'allocation mère seule, l'allocation enfant en bas âge, les ménages par-ci par-là, les gardes d'enfants, les remplacements des copines, serveuses ou caissières, et les miraculeux billets de deux cents francs qui surgissaient de temps à autre, elle se « faisait », comme elle disait, son « petit liquide mensuel ».

Les billets de deux cents étaient d'origine... « sentimentale », mais en général on profitait de ses faveurs gratuitement. Tout individu un peu persévérant y parvenait. Fernand le Savant, par exemple, avait séduit Fleur par sa vaste culture. Il la taxait à l'occasion d'un billet et d'un coït buccal, pardon, d'un « sorbet », car Fernand, qui a des lettres, dit « faire cattleya » ou « faire sorbet ». On imagine mal la quantité de parasites gravitant autour des pauvres. Je détestais Fernand et sa voix grasseyante et, plus généralement, les mâles rôdant autour d'elle.

Quand Fleur me récupérait nous allions

voir Mlle de Séguier dans l'île de la Cité, au
grand quartier général de la DASS. Mlle de
Séguier boitillait et avait de gros yeux bleus
saillants, débordants de bonté, et – c'est l'acteur qui parle – une voix distinguée, pure, vir-
ginale, aux *r* tremblants, avec une tendance à
transformer les *v* en *f*, une belle articulation
lente et précieuse. Elle faisait frémir de terreur
tout son service, mais je devinais qu'elle sur-
montait sa propre crainte. Malgré ses efforts
pour me chouchouter, je redoutais d'aller voir
cet oiseau de plus ou moins bon augure. Son
visage reflétait des heures de lecture, de rêverie
dans des bibliothèques, de comptines de
nurses et de lectures de parents attentifs.
Savoyarde et, bien que très dilué, de sang royal
italien, elle suivait Fleur, enfant de la DASS,
depuis son enfance, toujours très optimiste sur
son nouveau départ dans la vie, marqué par
des jouets d'occasion, des vêtements abandonnés par les riches, et des bonbons de montagne
au miel. Fleur prenait donc un nouveau
départ, puis un nouvel amant. Retour devant
Mlle de Séguier, et pour moi direction les nounous ou l'orphelinat.

— Te rends-tu compte de la chance que tu
as d'avoir un petit garçon aussi facile ?

Fleur riait. Elle aussi avait séjourné de nourrice en nourrice, avec des pauses à l'orphelinat. Élever des enfants, c'est-à-dire ne pas s'en occuper, était la chose la plus naturelle.

J'étais facile, mais incompréhensible. Je parlais sans arrêt et trop vite. À trois ans, une catégorie sociale importante apparut dans ma vie : le psychologue. Il paraît que j'étais victime d'« écholalie paranoïde ». Nous consultions. Les hommes s'intéressaient à moi pendant trente secondes avant de chanceler devant ma mère. Je n'en ai pas vu un, un seul, ne pas saliver devant son mètre quarante-cinq et son corps de nymphette. J'arrivais plein d'espoir, attentif, prêt à coopérer, et ils me laissaient tomber, parfois ils faisaient leur affaire pendant que je lisais dans la salle d'attente.

Le pire fut un certain Vignes, qui pourtant ne concrétisa pas avec Fleur. Son regard traînait sur elle comme une main graisseuse sur du satin, un regard de maquignon, patient. Un petit garçon comprend très tôt qu'une femme n'est jamais indifférente au désir franchement exhibé d'un homme, fût-il le pire. Vignes, frémissant du menton tel un chat devant un oiseau, à force de savourer son attente attendit trop, et Fleur, à son habitude, disparut sans prévenir.

Les psys, les conseillers et autres travailleurs sociaux s'apitoyaient sur nous, imaginant qu'ils étaient des privilégiés à trois mille francs nets par mois et un boulot de crétin à vie. « Pauvre gosse ! » Je ne stationnais jamais plus d'une semaine dans une école, sachant à peine écrire, mais lisant parfaitement tout ce qui me tombait sous la main, des tracts de Lutte ouvrière aux romans porno.

J'étais plutôt menu, fragile, et, disait-on, d'une beauté « singulière ». Le portrait craché de Fleur. Blond, les yeux verts, avec une pincée de la finesse asiatique sur le visage, la peau très blanche, on me remarquait tout de suite au milieu des petits négros.

À quatre ans, un drame éclata. Mon père réapparut, avec un détestable baragouin francisé des régions arabes et une voix où tout se construisait dans la gorge. Je n'avais jamais vu cette lèvre supérieure fendue et ces yeux gris. Il décida de reconquérir la mère et de dresser le fils, durant un petit mois, du côté de la porte de Pantin. La mère fut battue et s'enfuit. Je pris le relais, pleurai, comme on dit, toutes les larmes de mon corps. Les enfants perçoivent l'injustice au plus profond de leur cœur, mais je découvris, au-delà, le sadisme. Où trouvai-je le courage d'affronter ce visage aux yeux gris et de cesser mes larmes ? Je ne sais. L'idiot eut beau cogner, silence. Alors que des rossignols en faisaient un peu trop avec le printemps, il resta devant moi, l'œil mauvais, se dressa, leva une dernière fois la main, la rabaissa vers sa bière et partit, vaincu.

Je vécus seul pendant deux jours. Pour la première fois, indicible et glaciale terreur, je n'entendais plus la voix des humains. Je demeurai immobile vingt-quatre heures, exposé au froid printanier et au silence à peine troublé par les oiseaux et la rumeur du boulevard. Je pleurai encore un peu, un petit coup, en silence, les dernières larmes retenues devant la brute. Le deuxième jour, je grignotai et attendis, animal fataliste, commençant à jouir de cet effrayant silence, tous les sons diffus et peu à peu grossissants de la vie transperçant mon corps, à nouveau dans une sorte de placenta où, inquiétante, douloureuse et délicieuse, la cacophonie terrestre avait supplanté la musique céleste.

Puis ma mère, les amants, Pierrot, la DASS, les psys et les emmerdeurs réapparurent. Tout

était comme avant. Avec une seule différence :
j'étais muet.

Quatre années passèrent et j'étais toujours
menu, beau, pâle et muet. Ma mère me reprenait, disparaissait soudain, me reprenait. Parfois, nous vivions avec Pierrot. Dans cette vie
de hasard, je n'étais sûr que d'une chose : tout
le monde, toujours, se débarrasserait de moi.

2

Au début de ma neuvième année, en janvier, pour la énième fois, Fleur me récupéra et nous nous installâmes avec Pierrot chez son amant Rachid, au Pré-Saint-Gervais, non loin du métro Hoche, dans une villa à demi abandonnée à cause de la proximité de la cité des Rosiers où nous avions vécu, l'une des cités les plus populaires de la banlieue, qui accueillait à flux continus l'immigration de ces années quatre-vingt, chassant les classes moyennes pour qui elle avait été construite, vingt ans auparavant.

C'est alors qu'apparut le « philosophe ». Peut-être faut-il que j'essaie d'abord, bien que n'étant pas sûr d'y parvenir, d'expliquer mon mutisme.

Cet amour maladif de la musique de la langue et ce besoin effrayant de parler, qui m'avaient fait roucouler comme un serin à longueur de journée des phrases que les adultes jugeaient sans queue ni tête, m'avaient paradoxalement conduit au mutisme absolu. Que dire, puisque personne ne faisait attention à moi, puisque chacun m'abandonnait sans cesse, me hurlait constamment de me taire, me laissait errer seul dans cette caverne d'Ali Baba des nouvelles langues, où une porte ouvrait toujours sur une autre caverne ? Après le tabassage paternel, la découverte du silence, première manifestation de la disparition, me foudroya et me ravit. Je devins un disparu présent. Une conscience dans un corps de petit animal, renard ou oiseau, en tout cas un fuyard. Je fuyais, et souvent je planais. Rien ne pourrait jamais m'arriver de pire que les coups et l'affreuse et délectable solitude ayant succédé au départ de mon père. J'étais un bavard hypersensible, déblatérant sans trêve pour chasser les peurs, l'angoisse d'être abandonné, incapable de m'arrêter de parler ? Je devins un auditeur, froid – enfin ! dans la mesure où un enfant peut rester « froid » ! –, attentif, d'une acuité auditive plus grande encore, mais définitivement fermé à ce monde qui ne voulait pas m'entendre. Au début, on m'arrachait des cris en me secouant. Plus on me secouait, plus je me recroquevillais, les mâchoires serrées. Puis ce silence devint physiologique. Les muscles de la langue, la glotte, l'épiglotte, le pharynx, le larynx, les cordes vocales, les poumons qui font passer l'air sur les cordes, les narines qui transforment délicatement certains sons, tout cet appareillage si complexe se mit en panne. Étrange plaisir de serrer les lèvres... Je voyais, j'écoutais, émerveillé, absent et présent, « me croyant supérieur », comme disaient Fleur et Pierrot, et sinon supérieur, certainement à part. Et comme j'étais, pour ces gens profondément paresseux, beaucoup moins emmerdant muet que frappé d'« écholalie paranoïde », on me laissa finalement dans mon silence.

Des torrents de pensées qu'ils n'auraient de toute façon pas comprises m'envahissaient. Aujourd'hui, vingt ans après, je ne peux que mesurer avec stupéfaction le bouillonnement douloureux de cette pensée incessante, torturante. Avec qui la partager ? À quoi bon gaspiller tous ces mots pour ceux qui ne peuvent entendre ?

Plus le temps passait, plus mon corps s'habituait à ne pas parler, et plus se développaient mes capacités gustatives des langues et l'hypersensibilité de mon oreille.

La cité des Rosiers, près de laquelle nous habitions, était surnommée la « cité des cent ethnies ». C'est dire le merveilleux bazar qu'elle figurait pour moi ! Muet, je baignais tantôt dans le pandémonium banlieusard – cet horrible galimatias des petits durs –, tantôt dans la profusion de l'Éden. Deviner, au bruissement des vélaires, des spirantes, des sourdes d'une langue inconnue parsemée de mimiques si l'on parle d'amour ou d'argent est un plaisir insatiable.

Une anecdote me revient : âgé de cinq ou six ans, dans le métro, un jour, j'ai assisté à un suicide. À la station Hoche. Un homme, dans un Taxiphone à côté du Photomaton, gémissait son désespoir à grands cris, en un dialecte arabe. Je comprenais tout. Que c'était une question de vie ou de mort, qu'il allait perdre tout son argent, qu'on ne pouvait lui faire « ça », que « ce n'était pas ce qui avait été prévu », et qu'il fallait en parler à Untel... En avait-on parlé à Untel ? Oui ? Non ? Dieu était pris à témoin, avec Untel et l'argent, cause de tout. L'interlocuteur voulait couper, mais le type s'agrippait à l'écouteur comme un noyé à un filin, exagérant son débit quand l'autre s'impatientait, tirant désespérément, regagnant un peu de mou sur la corde qui allait casser, et qui cassa, son interlocuteur ayant coupé, « allô, allô, allô », criait-il, avant de partir avec son sabir sur le quai en appeler à la foule, qui – politesse du dernier acte ? – ne se montrait pas tout à fait indifférente. Quelle tragédie de la vie s'était jouée et en quelle langue ? Toujours la même, celle de la rupture de la chaîne des pièces et des billets liant une vie à d'autres vies. Mes yeux d'enfant écarquillés le regardèrent se diriger avec une certaine dignité vers les rails, et la station s'éclaira bientôt d'un flash et d'un hurlement collectif quand il tomba, foudroyé par les étincelles de l'argent qui ruisselait enfin.

Aujourd'hui encore je goûte cette immersion dans le mystère d'une langue, devant une télé étrangère, dans le débat animé de deux piliers de comptoir, la protestation d'un étranger à un guichet... Qui a dit : « La langue est un jardin » ? Oui, les mots sont des fleurs et la

« cité des cent ethnies » était mon jardin. À une exception près : je n'aimais pas ma langue disons « maternelle » – ma mère me parlait si peu ! –, ce français de banlieue naissant, impur, inachevé, métissé de la raucité arabe et qui tamisait quelques scories de l'anglais, le doux anglais des « Daffodils », transformé par les petits banlieusards en couinements de gorets.

Voilà comment, dévoreur boulimique de langues je devins muet, du mutisme d'un petit animal, furtif, toujours prêt à se faufiler et à fuir, cloîtré dans son impossibilité de communiquer. Le silence et mon sourire un peu figé me donnaient une grande capacité à encaisser les coups. Preuve de mon animalité : les chiens qui pullulent en banlieue, même les plus sauvages, m'ont toujours laissé en paix...

Ici je dois dire un mot de mes larmes. Un petit garçon pleure beaucoup, et je pleurais sans doute encore plus que la moyenne des petits garçons. Mais depuis la « victoire » sur l'homme à la lèvre fendue, mon père, je ne montrais mes pleurs à personne. Seul, je me donnais le droit d'écouler mon quota loin des adultes, auxquels j'offrais mon silence et mon sourire construit. Tout homme dispose à sa naissance d'un capital de larmes (comme de battements de cœur). À lui de le gaspiller comme il l'entend. J'épuisais le mien dans des rituels et des lieux qui m'étaient propres, ainsi l'immense fourrière du Pré-Saint-Gervais, mon refuge contre le désespoir, où je passais des journées seul dans une mer de voitures. Je vidais ma tristesse pour réapparaître fardé d'un silence joyeux et arrogant, comme un papillon pourtant inoffensif se pare des taches d'une espèce voisine, venimeuse, pour effrayer les prédateurs.

Notre maison, entre la cité des Rosiers et le périph, était divisée en deux locations et un nombre variable de sous-locations. Certains voient couler la Seine, d'autres le périph. C'est comme ça. Rachid nous sous-louait son garage avec douche amovible. Les W-C étaient « à l'extérieur », expression vague. Une vingtaine de personnes et le double de bestiaux, lapins et poulets pour la plupart, s'entassaient dans ce lieu.

Rachid le brocanteur était l'un des personnages importants du Pré-Saint-Gervais, comme les Bouzzadia père, frères et fils, garagistes et receleurs de voitures, ou encore le magnifique nègre Pamphile, ancien boxeur, cent trente kilos de muscles, autorité morale de la cité, maquereau reconverti dans l'adoration divine et un prosélytisme christique mâtiné de Coran – mais fondamentalement sexuel. Pamphile sermonnait et sautait tout le monde, un chapelet musulman ou catho à la main. Fleur, bizarement, lui avait encore échappé.

Au Pré j'étais partout, silencieux, attentif, jouissant des éclats de voix, des jeux, des amours, des persécutions et des jeux sexuels dans les caves, des trafics, des moutons égorgés, des combats de chiens et surtout des combats d'hommes, l'un des beaux spectacles de la vie.

On ne peut pas comprendre la banlieue.

Tout ce que racontent aujourd'hui les journalistes, virés depuis longtemps des cités – la racaille, les armes qui grouillent, la souffrance, le désespoir, les suicides plus fréquents qu'ailleurs, les rodéos nocturnes, les sinistres « tournantes » dont sont victimes les gamines, le ghetto et autres « concepts » –, existait déjà plus ou moins, mais la vérité n'est pas là. La vérité, c'est l'ennui. La banlieue était, est

encore, j'imagine, l'endroit le plus désespérément ennuyeux de la terre. Ses habitants s'en-
nuyaient. Ils étaient déprimés, pauvres,
vulgaires, globalement plus méchants, bêtes,
jeunes, malades et sales qu'ailleurs, quoique
dotés des mêmes problèmes : l'argent, le sexe,
les voitures. Mais moi, le muet, occupé à survi-
vre dans le silence, je n'avais pas le temps de
m'ennuyer.

Les flics me foutaient la paix. Que leur
aurais-je dit ? Je leur riais au nez. Ils sont peu-
reux. Ils préféraient garder les ministères à
Paris que venir au Pré. Les Arabes, les nouveaux patrons de la cité des Rosiers, les grands
frères et les jeunes durs, croyaient que j'étais
un peu fou. Les jeunes putes m'utilisaient pour
le guet, les caïds à l'occasion pour la dope,
Pamphile, les Bouzzadia, Rachid me donnaient de l'argent pour de menues courses.
Tout le monde avait confiance. J'étais « Haghoun », le « muet ».

— Haghoun, va m'acheter des clopes.

— Haghoun, va voir si la bagnole est bien
fermée.

— Toi, Haghoun, t'es indépendant. T'as
ton caractère mais t'es trop ironique et têtu.

Allusion à mon sourire. Je courais, petit

chien de neuf ans derrière les durs de douze, les pires, rieur, « ironique » peut-être, luttant contre ma peur, indépendant certes, baignant dans ce monde sans y appartenir vraiment, tel l'oiseau qui plane indifféremment au-dessus des bidonvilles ou des forêts. La rêverie était mon occupation préférée, avec cette autre activité, tellement merveilleuse : penser. Courir, rêver, penser, jusqu'à ce que la tête explose, regarder jusqu'à ce que les yeux brûlent... Penser sans jamais parler. À présent, je comprends que j'étais à la fois fataliste, angoissé et supérieur. De toute façon, Mamad, Mélik (les petits durs), et même Pierrot et Fleur, ne pouvaient pas m'entendre. J'étais trop intelligent pour eux.

Au début de cette histoire, Pierrot revendait du fromage.

Un mot sur ce grand-père de cinquante-huit ans que j'adorais, et auquel je m'accrochais, en dépit du fait qu'il était toujours occupé. Grand, maigre, microcéphale à tête de Chinois, il cognait vite et fort, et toujours le premier – l'un des grands secrets, d'après lui, de l'autorité. Avec le recul, je pense que je dois à sa réputation une part de ma paix. C'était un fainéant considérable, aimant les métiers « intellectuels » tels que représentant en fromages.

Il changeait souvent de femme, et sa fille, plutôt fière, disait qu'il avait une foule d'enfants naturels. Il était alors avec une certaine Nadia, une Macédonienne, sa cadette de trente ans, faiseuse de pizzas chez Pizza-Vitesse. Il prétendait ne rien demander à personne, sauf un toit, de la bouffe et de l'argent, qu'il quémandait à tout le monde. De temps en temps il se suicidait, avec un demi-cachet de somnifère ou une corde qui n'aurait pas retenu trois culottes, et ne supportait pas qu'on se moque de ses tentatives. Il râlait et aussitôt rigolait. Il était violent, mais pas méchant. Parfois, étrangement, il devenait lâche comme un caniche. Sa phrase favorite était : « La vie, c'est chien crevé au fil de l'eau. »

Il avait découvert la villa du Pré parce qu'il était en « affaires » avec Rachid. Comme il utilisait le garage pour ses échantillons, le contrat était que nous mangions du fromage à satiété. Je bouffais du saint-machin matin, midi et soir, et le reste du temps, dormant dans le garage avec lui, je le respirais. Quand il n'était pas là, la nuit, j'avais de sacrées angoisses. L'angoisse au fromage. Fleur et lui étaient capables de partir sans un mot. Jusqu'ici j'avais toujours réussi à les retrouver. Mais Pierrot rentrait avec une fille, rarement avec Nadia, la sautait comme un malade, me faisait une bise et je m'endormais.

L'angoisse de l'abandon...

Heureusement, la nuit, il y avait Bob, ex-chat du marché du Pré-Saint-Gervais. Il vivait sur le commerçant. Fleur avait commencé à nourrir l'animal, un matou gris à grosse tête, au museau aplati, sympathique, et Rachid ayant décrété que j'avais besoin d'un compagnon son destin fut scellé : collier et pâtée régulière. Nous avions, paraît-il, les mêmes yeux.

3

Quinze jours avaient passé depuis notre nouvelle installation, lorsqu'un matin ensoleillé de janvier la force publique fit irruption. Je regardais ce que plus tard le philosophe décrivit comme une des formes de « l'écriture divine » : le jeu aléatoire des ombres d'un arbuste sur un mur.

Deux gendarmes, un huissier, un agent immobilier et son assistante, un architecte, un maître d'œuvre, cravates et costumes, lunettes à montures d'écaille, pochettes, la petite bourgeoisie nerveuse et trouillarde en marche. « Où sont tes parents ? » demanda un homme très mince et très grand, en jean noir et veste grise, ornée d'une pochette vert et or, et dont le point d'orgue vestimentaire était un ruban de la Légion d'honneur. Ses cheveux blonds étaient plus longs que la moyenne et légèrement huilés, son teint trop bronzé pour l'être naturellement, et ses yeux bleus, soulignés par des lorgnons d'or extrêmement fins, se firent précis, venimeux, impitoyables presque, puis étonnés et doux :

— Où sont tes parents ? répéta l'homme mince, celui qui deviendrait pour moi le philosophe.

La troupe s'ébranla, sauf lui, qui me regarda, les mains dans les poches, puis s'accroupit :

— Tu ne parles pas ?

Belle bouche et dents trop blanches. Il sentait le parfum. Sa voix était douce. Nous nous regardâmes longtemps, moi avec mon inquiétude et mon espoir d'enfant, et lui, stupéfait par cette offrande vertigineuse du regard. Je ne cillai pas.

— Tu ne parles pas ?

Fleur apparut en nuisette sur le perron encombré par le linge et les débris accumulés par des générations de sous-locataires et de squatters. L'agent immobilier résuma : les loyers n'étaient pas payés, les sous-locations illicites, la maison insalubre, d'importants travaux allaient être entrepris : la maison serait peut-être démolie ; bref, M. Henri Haguesseau

– le parfumé aux lorgnons – récupérait son bien pour le « valoriser ».

— Valoriser, mon cul !

Pierrot venait de surgir auréolé de l'odeur du saint-machin.

— On t'emmerde ! précisa Fleur.

Fleur, miniature chinoise, peau très blanche, yeux d'un vert et d'une candeur absolus, visage résolument virginal et enfantin doté d'une bouche invraisemblable, est un attentat à la pudeur. Ses cheveux en chignon tirent sur le roux. Son corps est parfait, comme, attendu l'heure matinale, le vérifièrent les importants. Elle avait vingt-sept ans et en paraissait quinze.

Les conquérants partirent visiter les lieux. L'homme en jean et néanmoins décoré, si long, se redressa interminablement et resta là, planté. Il n'avait jamais vu un tel spectacle de sa vie, que ce soit à Venise, à Oaxaca, à Pétra ou à Rio. Il ne comprenait pas. Ce n'était pas vraiment un bidonville, il y avait des publicités ici et là, les petits Arabes auraient pu poser pour les photographes de *Match* afin d'illustrer une quelconque guerre lointaine, ces gens parlaient quelque chose qui ressemblait au français, ne portaient pas d'os dans le nez ni de

Kalachnikov à la bretelle, mais c'était hallucinant. « Ça existe, ça, à dix bornes à vol d'oiseau du Louvre ? » Ma tête blonde au milieu
de ces tarés dépenaillés le fascinait : le Blanc
captif au milieu des Peaux-Rouges.

— Il ne parle pas ?

— Non, dit Pierrot.

— Il est débile ?

— Oh, que non ! C'est le plus malin de la
cité. Il sait tout.

— Il sait lire ?

— Il lit sans arrêt.

— Il est muet de naissance ?

— Non. Il a su parler jusqu'à quatre ans.
Cinq langues, il paraît. À mon avis, il simule.

— Pauvre andouille ! dit Fleur. Il ne peut
plus parler. Il parlait six langues à quatre ans !
Nous avons les preuves ! Les preuves scientifi-
ques !

Impossible qu'un gosse ne parle pas, à
moins d'être un enfant-loup. Il interrogea. Si
j'avais eu un accident, si j'allais à l'école... À
moi, se penchant : « Tu sais articuler ? tu
peux crier ? chanter ? tu pleures ? » Il approcha encore, ahuri. Je crus qu'il allait me
secouer (on m'avait tellement secoué). « Vous
avez besoin d'argent ? » finit-il par demander,

et il sortit un billet de deux cents francs, sous les yeux horrifiés des flics, illico raflé par Pierrot.

Une semaine s'écoula. Les huissiers et leur suite furent oubliés. Le chat s'embourgeoisait bizarrement. Il devenait tellement gros que Rachid eut l'idée de vérifier... qu'il s'agissait bien d'une chatte prête à chatter. La SPA consultée lui apprit que les pauvres faisaient châtrer gratuitement leurs bestiaux.

— Tu vas t'en occuper ! me hurla Fleur.

Je pris la chatte et filai. Je tâtai son gros ventre. Peut-être voulait-elle garder ses chatons ? Finalement je la conduisis au Centre vétérinaire de Colonel-Fabien, où elle fut châtrée, tatouée, et débarrassée de cinq mini-chatons. Le véto me les montra, puis demanda une obole pour la SPA. Je n'avais rien. Bon gars, il me donna de quoi la cautériser. Dans le métro, j'étais fier de mon chat enveloppé comme une poupée.

Hélas, sédentarisée, elle redoubla de larcins, ce qui exaspéra Rachid, lequel commençait d'ailleurs à se lasser de ma mère, qu'il chassa avec son père et son fils.

Ça tombait bien puisque M. Henri Hagues-seau réapparut au moment où Fleur, princesse en guenilles, redescendait le perron de la fameuse villa, suivie de Pierrot et de ses boîtes de fromage. Il chevauchait une grosse moto. Il expliqua à Fleur qu'il allait nous reloger, elle et moi, dans Paris, quai de la Rapée. La moto redémarra, Fleur en croupe. Ils visitèrent un studio au septième sans ascenseur, salle de bains et cuisine indépendantes, sobre confort (un canapé-lit, un fauteuil, une table), mais W-C à l'étage, revinrent deux heures plus tard. Fleur était restée célibataire trois quarts d'heure, le temps du trajet aller.

4

Qu'est-ce qui avait bien pu amener
M. Henri Haguesseau, professeur de philosophie à la Sorbonne, occupant la moitié des
combles d'un petit immeuble du quai Malaquais où l'on pénétrait de façon assez compliquée par une cour donnant sur la rue
Bonaparte, à débarquer au Pré-Saint-Gervais ?

Ledit immeuble appartenait à sa mère. Elle
l'avait quitté un an auparavant pour le service
de gériatrie de la clinique des Cèdres de Biarritz où elle agonisait d'un cancer. Ces deux
cents mètres carrés de combles constituaient
ce qu'il appelait son « bureau ». En dehors des
« heures de bureau », en gros la journée, il par-
tageait l'appartement de son épouse Florence,
non loin de là, boulevard Saint-Germain. Le
matin il allait au bureau, et le soir il revenait
chez Florence, fille d'une famille autrichienne,

obscure et richissime, élevée à Paris en raison de la position diplomatique de son père.

Du côté du père du philosophe, saint-cyrien, la plèbe : grand-père sergent, arrière-grand-père « maître-valet », un bel oxymore où il puisait une forte haine des humbles. Il était décédé d'une maladie exotique aux Colonies, alors que son fils n'avait même pas sept ans. Celui-ci avait été élevé par sa mère, grande bourgeoise issue de ces P. qui appartinrent au Conseil des deux cents familles de la Banque de France pendant un siècle et demi, c'est-à-dire confié à des bonnes d'enfants et des précepteurs.

Voilà donc notre Henri Haguesseau. Il est beau, riche, snob, bien marié, normalien, agrégé, professeur. Il a une émission de télé, il tient sa place dans un célèbre comité de lecture, et dans une brasserie non moins célèbre. Il ne circule que sur sa grosse moto. Son visage est connu dans Paris. Nota : c'est un vrai philosophe qui travaille sur le langage, peut définir les deux cent cinq entrées du dictionnaire de rhétorique de son collègue Le Tourneur, duquel il prendra bientôt la place au Collège de France. Cultivé, jamais cuistre – trop intelligent –, il ne quitte pas le VIe arrondissement. Il travaille, réussit, et sa vie est formidable, idéale et morne. Ambitieux est un mot faible envié, haï, flatté, il marcherait sur n'importe quel crâne pour grimper. Quiconque croise ses yeux croise l'essence du mépris – et moi, Julien, je devais la croiser une fois.

Florence, son épouse et fort belle amante, est traductrice. Elle adore fouiner dans les œuvres, n'a pas son pareil pour retrouver une citation, collectionne les manuscrits autographes.

Henri, depuis une semaine, ressassait son aventure, se remémorant mes yeux verts et ce qu'il y avait lu : la confiance absolue, totale, insécable d'un chien. Et ces yeux exprimaient aussi l'espoir, et peut-être bien une promesse d'amour. Jamais il n'avait vu quelque chose d'aussi transparent. Depuis lors il réfléchissait d'une manière oblique à son épouse, aux succès qui l'attendaient, aux marches qu'il monterait, à commencer par celles, dans six mois, du palais du Festival de Cannes. Il se disait, vaguement, qu'abandonner un chien était le pire crime et, clairement, que sa femme ne l'aimait pas. D'ailleurs, lui non plus. Neuf ans qu'ils se clamaient un amour réciproque, que, fidèles, ils baisaient comme des fous dans l'univers lisse de leur amour merveilleux, et qu'ils ne s'aimaient plus. Le pire était qu'il n'avait jamais aimé personne et que ça ne le faisait pas sourire. Il en éprouvait tout à coup une rage désespérée.

— Vous ne devinerez jamais...

Il la contemplait, ronde, garce, désirable, son visage tellement autrichien, mongoloïde et mat, tandis qu'elle dressait, secondée par la cuisinière et son époux, défini comme maître d'hôtel, une table pour trois couples.

— Je suis allé dans la banlieue.

Voix bandante tudesque :

— La quoi, mon chéri ?

— La banlieue.

Elle faillit laisser choir les verres.

— La... quoi ?

— La banlieue ! Là où il y a des Arabes et tout ça. Je suis allé voir la villa qui appartenait à mon grand-père, et que je n'avais pas vue depuis quarante ans. La banlieue, quoi !

— Mais je sais ce qu'est la banlieue : à Vienne aussi il y a une banlieue. De même qu'à Linz. Et qu'avez-vous vu dans la... banlieue ?

— Des êtres surnaturels.

— Je ne suis pas tout à fait idiote : dans la banlieue il y a des gens avec des chaussures et des paniers, et des trottoirs ; et ces gens marchent avec leurs chaussures sur les trottoirs en tenant leurs paniers.

— Vous ne pouvez pas imaginer. J'en suis complètement bouleversé.

« Bouleversé » était un qualificatif définitivement inapplicable à son mari.

— « Bouleversé » ? Tiens ! Vous allez faire de la politique ? Ou de la philosophie des banlieues ?

Elle baissa les yeux. Elle le craignait. On sonna pour apporter des fleurs.

— J'ai vu... un garçon d'une beauté... Enfin... très beau. Vivant dans un taudis avec des demi-clochards. Ne parlant pas. Ne sachant pas, ou refusant. Bien qu'ayant parlé six langues !

— Six... N'est-ce pas plutôt sept ? Ou cinq ? Et quelles langues ?

— Que diriez-vous si nous invitions cet enfant ici pour essayer de le faire parler ?

Cette fois, un verre chut. La femme de chambre se mit à quatre pattes. Florence soupira, demanda une coupe de champagne. Il faillit proposer : « Voulez-vous faire un tour en banlieue avec moi ? », étouffa la phrase.

— Florence... C'est un enfant extraordinaire. Il faut le sauver.

— Vous êtes devenu fou ou quoi ?

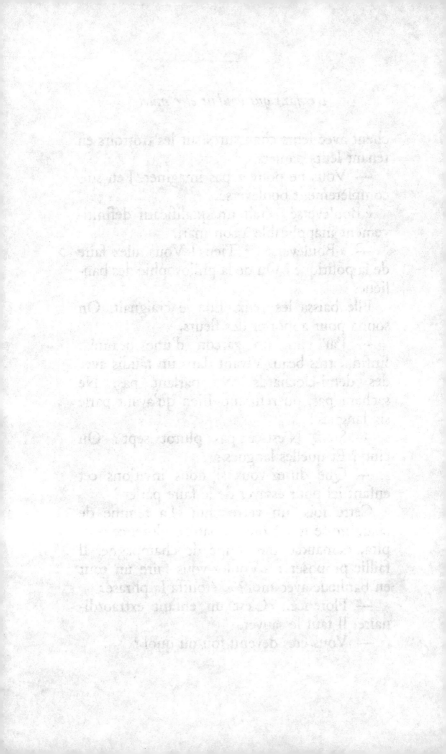

5

Sa voix, polie, à peine nasale... D'emblée, je fus séduit. Il en jouait. Les voix de banlieue sont agressives. La sienne, comme ses yeux, était douce, grave et... teintée d'humour. Il négociait dans un coin du studio avec ma mère, sans cesser de m'observer. Le nez écrasé contre la fenêtre, je fixais, fasciné, le fleuve, et, à gauche, le Port de Paris, la Méditerranée au cœur de la France. J'étais tombé follement amoureux de la Seine. Il s'approcha. Son regard poignait mon cou.

— Tu vois ce miroitement... C'est une écriture. Des milliers d'idéogrammes, incertains, aléatoires, toujours recommencés. Peut-être est-ce l'écriture divine, celle que l'on trouve sur le pelage ocellé des léopards, sous les tilleuls en été, dans les taches de son sur un joli nez de femme... Qui saura déchiffrer ce message de la divinité ?

Je comprenais parfaitement ce qu'il disait. À regret, il partit.

— M. Haguesseau nous fait cadeau de la caution et du premier mois de loyer, dit Fleur.

— Formidable, dit Pierrot.

— Il m'a questionnée sur le mutisme du gosse. Il veut le faire parler.

— Et s'il veut pas ? Et s'il est très bien comme ça ? Pourquoi l'emmerder ? Pourquoi parler, hein, Haghoun ?

Une barge remontait l'eau jaune et tumultueuse. Pas la peine de crier... Pourquoi parler ce sabir de Pierrot et des autres, en effet ? Que l'on plaigne les aveugles et les sourds, mais pas les muets. Il y a un grand bonheur à écouter. Au ciné, vous parlez ? Devant un tableau, vous parlez ? Les nigauds commentent ; les muets admirent.

— Pourquoi tu souris, Haghoun ? Tu te fous du monde ?

J'essayai de ne pas sourire.

— Ne l'appelle pas « Haghoun ».

— Julien... La vie est belle ?

Vivre consiste globalement à ne pas vivre, à oublier la vie. Mais seul et muet, assis sur le banc d'une station de métro, vous percevez la densité de l'existence, grossie jusqu'à l'infiniment petit, pourtant désirable et effrayante, avec ces visages repus de vices – vanité, arrogance, méchanceté, lubricité, cupidité –, hélas, toujours teintés d'angoisse. L'espèce humaine est angoissée. Le visage du philosophe reflétait quelque chose de nouveau et d'apaisant : l'intelligence cultivée, l'intelligence savante. Comme moi, il était ailleurs ; et, ceci va vous faire sourire car je vous parle d'un petit garçon de neuf ans, réfugié dans la pensée intellectuelle.

— La vie est belle, Jules, hé ? Hé, hurla Pierrot, m'arrachant à mes pensées ? Ça va être la belle vie, ici, hé ?

Arrête de brailler, vieux fou... Je ris. J'aimais ce clown. La belle vie ? Ce déménagement me troublait. Deviendrais-je autre chose que Pierrot ou Rachid ? Le silence m'avait donné le goût de la lecture. Je lisais davantage que la totalité des enfants de la cité des Rosiers réunis, avec le sentiment que quelque chose devait exister au-delà de ce capharnaüm, mais quoi ?

51

Le philosophe marcha jusqu'à Notre-Dame, hésita, brusquement fit demi-tour et revint au quai de la Rapée. Il réfléchit devant le port de la Bastille et la « marine » parisienne sur l'eau frissonnante, puis il remonta quatre à quatre les sept étages et toqua à la porte. Fleur était sortie pour des courses. J'étais seul avec Pierrot, qui cria : « Il n'y a personne ! » Puis à moi :

— Tu pourrais causer, non ? Je sais que tu parles. Tout le monde *sait que tu parles* ! Tu es un menteur ! Un faux-cul !

De l'autre côté de la porte, le philosophe entendit le bruit énorme d'un poing sur la table. « Parle, ou je te dérouille comme tu ne l'as jamais été ! » Son sang ne fit qu'un tour. Il frappa plus fort.

— Il n'y a personne !

Bruit de chaise qu'on renverse, porte qu'on ouvre brutalement, les deux hommes se firent face et je ne donnai pas cher de la peau blanchissante du philosophe.

— Bon Dieu ! le proprio ! Ah, monsieur Haguesseau ! Mais entrez donc, monsieur Haguesseau.

Il se transforma illico en carpette. Tout à

fait Pierrot. Du tigre au lapin. Au même instant Fleur revenait, les bras chargés. Elle nous
intima de filer. Je me levai pour partir, pris la
pogne grand-paternelle. Elle m'arrêta. Au philosophe :

— Tu ne trouves pas que Julien a l'air de
se moquer du monde ?

M. Haguesseau approuva vaguement, s'assit
sur l'unique fauteuil, feuilleta un roman de
Simenon.

— Ce gamin est souriant, mais froid
comme du marbre ! Il ne pleure jamais. C'est
pas normal, non ? Une fois, il m'a tellement
exaspérée que j'ai failli le tuer. « Pleure, parle,
pleure, parle ! ! » je hurlais en lui cognant la
tête contre le bord de l'évier. Le sang a giclé.
Regarde... (Elle souleva ma tignasse et montra
une cicatrice au cuir chevelu.) Six points !
Heureusement qu'il ne parle pas ! Imagine
qu'il m'ait dénoncée !

— Tu fais semblant ? demanda Henri.

— Bien sûr ! cria Pierrot. C'est un simula-
teur !

— Est-on obligé de lui hurler dans les
oreilles ? Tu aimes lire, paraît-il ? Tu as lu
Simenon ?

Il n'en revenait pas. J'avais trouvé *Le Grand*

Bob sur l'étal de Rachid. Le titre m'avait fait penser à mon chat.

— Foutez le camp tous les deux, à la fin ! répéta Fleur. Et toi, ramène de la litière !

Je guettai les regards qu'il portait sur elle. Mais il n'arrêtait pas de me fixer. Comment faire comprendre à ces yeux malins que Pierrot n'était pas une brute ?

Nous avons fini par partir, et mon grand-père m'a laissé évidemment en plan. Il fallait qu'il « gère » ses fromages. Déçu – on ne s'habitue jamais –, je regardai la beauté des choses : un homme interrompant le flux du trottoir pour lacer le soulier de sa fillette, laquelle croisa mon regard et serra soudain avec angoisse l'écharpe de son père. Plus tard une corneille, obliquant, inlassable, vers le cadavre d'un petit rongeur, au bord des voies sur berges, renvoyée dans les airs par les voitures, et qui revenait obstinément vers sa nourriture, l'instinct de vie plus fort que tout... Un quart d'heure de spectacle achevé sur la mort, l'oiseau happé par une voiture, et la chance de le récupérer, intact, chaud, une gouttelette de sang au coin du bec.

Au Pré-Saint-Gervais les immeubles me captivaient, avec leurs modestes balcons, le sapin de Noël oublié, les pauvretés accumulées, la vaine épargne des vies... Le papier peint, le conduit noir des cheminées des immeubles éventrés restituaient les espoirs disparus, les croyances en l'avenir de tel parti et à la fiabilité de telle voiture... Mais les immeubles de Paris sont tellement plus beaux ! Pas de beauté, pas de civilisation sans silence. Au Port de Paris, au Jardin des Plantes, j'allais découvrir des lieux aussi silencieux que ma chère fourrière du Pré-Saint-Gervais, non rongés par cette lèpre moderne, le bruit. Et Paris est un théâtre de la force. Les manœuvres avec leurs heaumes, les électriciens au beau harnachement pour grimper aux poteaux, les hommes du marteau-piqueur, les maçons aux cheveux poudrés de plâtre ou de ciment... merveilleuse gravité des travailleurs. Bonheur de les voir hisser, ajuster, crier.

J'étais un vrai badaud. Tout m'émerveillait. Il m'arrivait de frissonner en regardant la vie. Paris était une promesse.

Ce jour-là, ma corneille à la main, j'assistai à un accident. Une galerie effondrée, la pelleteuse qui creusait, et les gens, avides et terrori-

sés, disant qu'« elle allait le couper en deux ».
Un Arabe glapissait en un français comique :
« Mais il y pas mort ! C'est pas vri ! » Je
connaissais tellement la souffrance des humbles, bruyante et fataliste, un peu ridicule, ani-
male, fausse au fond...

Et pendant ce temps, monsieur le professeur
Haguesseau contemplait Fleur, minuscule, sa
minijupe, sa taille de fourmi, son tee-shirt
dévoilant le soutien-gorge. Son souffle s'accélé-
rait, le sang refluait de ses mains, puis de son
visage soudain cadavérique. La jeune femme
esquissa un sourire, puis un cri étouffé quand
il se précipita sur elle avec une méchanceté
non feinte. Plaisir violent, méfait rapide. « La
lutte des classes », ricana-t-il intérieurement.
La belle essuya un peu de sperme de son
visage.

— Un thé ?
— Pourquoi ton fils ne parle-t-il pas ?
— Ça fait vingt fois que tu poses la
question.
— Je veux qu'il parle.
Il la secoua. Tout à coup elle pleura, cher-
cha à se blottir, fut repoussée.

— Non. Fini. Il ne faut pas t'imaginer quoi que ce soit.

Il avait deviné que cette liaison me serait insupportable.

Il traversait le pont d'Austerlitz quand nous nous croisâmes.

— Qu'est-ce que tu fais avec cet oiseau mort ?

Silence, main et trésor ramenés dans le dos.

— Tu n'es pas à l'école ?

Question idiote. Je n'y étais pas. Il me suivit, ses longs cheveux balayés par le vent. « Je vais jusqu'au Jardin des Plantes. Tu viens ? » Il me prit le bras et me força à lui montrer la corneille. « Comment se fait-il que tu ne parles pas ? Tu n'as pas de glotte, pas de larynx ? »

Il m'arrêta, se pencha à ma hauteur. J'évitai ses yeux. Il articula lentement.

— Pour parler, il faut faire travailler les lèvres, le voile du palais, la langue, les cordes vocales, la mâchoire et un tas de muscles précis dans une coordination extrêmement complexe. Quand tu dis : « Bonjour, il fait beau », tu émets quinze sons à la seconde et tu fais bouger plus de cent muscles ! Cent !

57

La Seine moutonnait. Je perçus le parfum de ma mère sur sa chemise. Il avait couché avec elle. Elle couchait avec tout le monde. L'entendre ou la voir faire l'amour me troublait et m'écœurait mais, je ne sais pas pourquoi, cette coucherie-là me hérissa. Je ne voulais pas qu'il la touche. Il devait la mépriser, comme Pierrot. Pierrot n'était pas la grosse brute qu'il croyait. Et elle n'était pas la petite souillon sur qui on essuie un orgasme comme un éternuement. Je le fixai. Il baissa les yeux. Il avait compris.

— Sais-tu que la langue contient une quarantaine de muscles autonomes ?

Puis :

— La prosodie, Julien, la prosodie. Jamais une machine ne restituera la beauté de la parole. Rien n'est beau comme elle.

Il hurla soudain :

— Je vais te foutre ça dans le crâne, de gré ou de force !

Il chanta :

— Do-mi-sol-do ! Musique, sonèmes, paroles, phonèmes. Mais, mais : tu ne peux mêler les sons, alors que tu peux mêler les mots. Comprends-tu ?

Parfaitement. « Grise est la Seine » ou « la

Seine est grise » sont identiques, mais do-mi-sol ne sera jamais sol-mi-do.

— Oui, Julien ! devina-t-il. Que tu es intelligent ! Do-mi-sol ne sera jamais sol-mi-do.

Et il monta et descendit un arpège d'une voix de stentor. Je ris. Il lisait en moi.

Il sortit un billet de sa poche, le roula, l'agita sous mon nez, tendit la main pour l'oiseau. Je le lui donnai. Il le jeta dans la Seine. Je froissai son billet et le jetai à mon tour.

— Ah ça, alors ! Petit orgueilleux ! Tiens.

Un autre billet, plus gros. Cette fois je le gardai.

6

Arrivé boulevard Saint-Germain, vers dix-neuf heures, Henri Haguesseau jeta un bouquet de pivoines blanches sur le lit conjugal, et clama qu'il était urgent de sortir.

— En quel honneur ?

— En l'honneur de ce que je viens de tirer un coup ! hurla-t-il.

Elle n'entendit pas, elle rangeait ses affaires, juste arrivée de Linz, heureuse. Très heureuse. Il réapparut, la souleva, la plaça debout sur le lit, caressa ses cheveux nettement raccourcis, examina, complimenta. Bon, à Linz rien de neuf, son père toujours tyrannique, un problème sur le contrat de mariage qu'il souhaitait réviser avec Henri mais on en parlerait une autre fois OK ? Ses sœurs jalouses, sa mère inexistante, *Don Juan* à l'Opéra dans la loge du maire, de la maîtresse d'icelui et de la mairesse (une lettre et tout bascule !) avec le nouveau et très charmant ambassadeur de France, un des chiens, Pidouch – mais, si, le gros doberman –, avait à moitié dévoré une femme de chambre. Foutue dehors par son père sans un rond. Florence était allée la voir à l'hôpital et lui avait envoyé un mandat.

Pourquoi les hommes ne voient-ils jamais qu'une femme est amoureuse, alors que c'est inscrit en lettres de feu sur leur front, leurs joues ? Florence était tombée raide aux pieds de l'ambassadeur de France à Vienne.

— Et vous, Henri ?

— Vous ne devinerez jamais...

— Vous savez que je ne devine jamais.

— J'ai revu le petit muet. Non seulement revu, mais je l'ai installé avec sa mère dans le studio du quai de la Rapée.

Elle était stupéfaite.

— Cette... « fantaisie » va durer ?

Il flatta ses cinquante-cinq kilos bien denses, palpa, embrassa, et les voilà de ciné en restau, puis en boîte de nuit où, à trois heures du matin, ils flirtent, Florence plus sensuelle que jamais, sur la piste de danse d'un lieu pas très bien famé et peut-être même un rien échangiste... Un petit retour par le quartier des voyeurs du bois de Boulogne, « ma putain adorée », entre autres préliminaires, et il put satisfaire son épouse comme un soudard avant de dormir de la même manière. Ouf ! « C'est tout de même elle qui me fait bander le plus. » « J'enterre ma vie d'épouse », songeait au même instant Florence.

Le lendemain était férié et jour de gueule de bois. À huit heures du matin, trois heures de sommeil pas plus, il regardait Florence, belle et juste dormeuse. Pour la première fois de leur mariage, il l'avait vraiment trompée. Non, pas avec cette Fleur... Aucune importance. Avec ce muet, qu'il tenait passionnément à revoir. Comment lui expliquer ? Ce garçon allait devenir sa chose, son golem. Il allait le tirer de cet invraisemblable milieu, le faire parler et le livrer à la Société, frais, lavé, parfumé, cultivé, parfait. « Ma vie contre quelques phrases de la bouche de cet enfant muet ! » C'était totalement ridicule. Allons, son travail, son émission... Les réceptions pour cirer les escaliers de l'ascension... Plus que quelques marches, et... Et ?

Midi ensoleillé, il remonte le boulevard Saint-Michel.

On le reconnaît et le salue, il répond sans se départir de son dédain souriant, sa veste en cachemire noir ouverte sur une chemise de soie beige, les mains dans les poches de son jean, noir également. Sa toison blonde et ses lorgnons d'or sont célèbres. Un long cigare tremble de sa bouche.

Il s'arrête devant une librairie. Est-il possible qu'une obsession frappe un homme aussi sain que lui, au point de fermer son visage si noble et souriant ? Il réinstalle son sourire.

Qu'espère-t-il ? Il est trop malin pour oser quoi que ce soit de littéraire ou d'artistique, une pièce, un film, Stendhal était un peu sot, Flaubert brutal, Kafka fou, il n'est ni sot, ni brutal, ni fou. Sa collection éditoriale tourne, son émission tourne, ses essais tournent, et lui aussi tourne, et le guette le syndrome de l'ours, de droite à gauche dans la cage, puis de gauche à droite. Le « rendez-vous de Montherlant » : impossible d'y échapper, mais encore... voyons... soixante-dix-sept ans, l'âge où se suicida le maître, moins quarante-huit, son âge, soit vingt-neuf balais à tirer. Disons trente.

Pourquoi parler ? Oui, pourquoi parler,

après tout ? L'amour a quelque chose à voir avec le silence, mais quoi ?

Il pose un œil distrait sur les casiers de livres, les gens s'écartent (« Oh ! t'as vu ? c'est Haguesseau ! »), il s'excuse, il entre, un livre commandé, merci. Le jardin du Luxembourg maintenant, une minute de lecture et le livre ne sera jamais lu, définitivement refermé. Pourquoi ne pas l'abandonner sur la chaise ? Jamais. Il ira s'empiler avec les autres dans l'ossuaire, pardon, la bibliothèque du quai Malaquais, quatre mille ouvrages, dont un millier sur le langage, un jour le plancher cédera.

Les statues des reines de France. Que la civilisation française fut belle ! Un joggeur. Qui est le plus insignifiant, à cet instant, dans la Voie lactée ? Lui, impeccablement négligé, ou ce pauvre essoufflé ? Un enfant lui tend un bambou pour changer le cap d'un navire, « n'agace pas le monsieur » (la maman). Il joue à capter le regard de la mère, ça y est, elle est séduite, elle passe à la casserole dans la minute ou le mois, non, le jeu est fini. Il se lève et la cendre du cigare s'égaille sur sa poitrine. Et s'il se déshabillait ? Là ? « Haguesseau ? On le prenait pour un salopard, c'était un fou. »

« Elle ne m'aime plus. Je l'espère, parce que je ne l'ai jamais aimée. »

Lui téléphoner : « Florence, le pacte est brisé, j'ai couché avec une demi-prostituée, et je t'ai refilé cette nouvelle maladie dont tout le monde parle, le cancer des pédés. » Ah-ah-ah, il rit. Que d'excitation à la pensée de me revoir ! « Non, Flo, nous nous aimons, c'est bien faux, n'est-ce pas ? » Vivre dans son château de Linz. Vivre à Linz serait certainement moins stupide que d'aller chez le Palestinien, le Kurde, le Hutu (ou le Tutsi, putain, trouver absolument une mnémotechnie pour savoir lequel de ces abrutis massacre l'autre !), Pascal a tout dit avec le divertissement, Homère est la preuve que le mot progrès est le plus bête jamais inventé par l'humanité, et j'emmerde les gendarmes et la maréchaussée, et plus encore les philosophes et la philosophie. Quel livre emporterez-vous sur l'île déserte ? Aucun, aucun ! L'Enfer lui réserve une bibliothèque comme cellule.

Il marche à grands pas vers la fleuve, et pendant ce temps-là Florence, dans sa salle de bains, évoque, honteuse et frisonnante, la mort de son mari. Elle exorcise aussitôt son affreux souhait : « *Ich Liebe Icht*, Henri ! » Dans moins d'une heure, elle jouera les traductrices avec un amoureux des vieux livres et des vins de grand âge dans une antique brasserie ; le monsieur, « nouveau et très charmant » ambassadeur de France à Vienne, sera tenté par sa jeune gorge, et elle, déjà séduite, laissera bâiller son chemisier.

Le philosophe savait sans doute qu'il était passé à côté de la vie, ou, si l'on préfère, qu'il n'avait ni su aimer ni se faire aimer, mais, hélas pour lui, cette sinistre pensée soudain devenait insupportable, à cause... de moi. Épris d'honneur et de luxe, trop intelligent pour ne pas mépriser les faibles, faire parler un petit garçon dont les yeux brillaient d'une confiance abyssale et canine lui permettait d'être, le mot est fort, sauvé – ou perdu : vous plongez pour repêcher quelqu'un, et tant pis si vous y laissez votre peau.

Le philosophe regarda la Seine. « Ainsi, tu vas plonger, crétin... » Qui le sauverait ? Florence ? Sa mère ? Elle ne l'aimait pas non plus, même si elle crevait dans le désespoir, l'appelant jour après jour. Ses amis, ses collègues, les demi-stars de son acabit... Lesquels se jetteraient à l'eau pour lui ? Il rit. Aucun. La moitié le plaindrait en rigolant discrètement, l'autre s'esclafferait, et tous jouiraient. Et lui eût fait de même. Toujours bon de voir crever un salaud de sa propre espèce. Quant au reste de l'humanité, c'était pire : son parcimonieux mépris n'allait pas jusque-là. Lire sans plus s'étonner, écrire des livres presque bons, faire des mots avec des gens tellement intelligents et commenter le cul des mêmes : la réussite, quoi !

Incongruité suprême, la pensée du philosophe me prit dans ses bras, et sa gorge se serra honteusement. Avait-il jamais marché en tenant la main d'un enfant ? Jamais. Il évoqua une glissade sur une pente neigeuse, une promenade à cheval et éclata de rire : Henri Haguesseau, arbitre des élégances, tombé dans le pathos du comité d'entreprise ! Il releva sa belle tête, toutes dents dehors, marchant sur le quai de l'Horloge avec la morgue d'un prince au milieu de ses serfs, l'étrave de son sourire et de sa célébrité fendant la foule ravie... Et pourtant... « Julien, pourrais-je prendre ton épaule et te conter l'histoire de la Conciergerie ? Et pourrais-je confier, à toi, petit garçon, le désespoir d'un homme lancé et brillant ? »

Quelle faille avais-je ouverte chez cet homme infaillible ?

7

— Ta mère n'est pas là ? Tant mieux.
Veux-tu venir voir les reines de France ?

Il me faisait un peu peur avec ses yeux
rieurs, perçants et impatients, rarement immo-
biles, parfois angoissés. Il vivait un combat
étrange, que je ressentis, et dont je devins le
fier et fasciné témoin. Une chute, peut-être.

— Tu es beau.

Drôle de remarque chez un homme.

— Veux-tu que nous allions choisir des
livres ? Faire un tour de bateau-mouche ? Voilà ! Un tour de bateau.

J'aurais préféré un tour de moto. Fleur
entra... avec Fernand le Savant, un des copains
du Pré. Pas besoin de dessin. Fleur vira cra-
moisie. Le « savant » rebroussa chemin discrètement. Le philosophe me sourit et tout fut
dit : Fleur lui était sexuellement indifférente.

Je respirai, rasséréné. Soudain le chat se mit à courir en miaulant dans tous les sens, puis s'attaqua aux mollets philosophiques, avant de disparaître sous le lit.

— Il faut s'en défaire ! dit Fleur, soulagée par la diversion.

Trois semaines que nous étions là, et le problème de Bob devenait crucial. Je portais sa litière par sacs de dix kilos jusqu'au septième étage, et son bac n'était jamais propre. En pleine nuit, elle poussait des miaulements épouvantables. La chambre était envahie de puces. Fleur déclara qu'elle coûtait plus cher que moi.

— Ou tu la bazardes, ou je la tue.

C'était infiniment cruel.

— Ne t'inquiète pas, dit le philosophe. On va la placer dans un paradis pour chats.

Après une magnifique virée à moto, nous perdîmes l'animal au Père-Lachaise. La chatte nous suivit un moment, en jouant entre les tombes, se roulant sur le dos, heureuse, puis disparut.

La tristesse de perdre mon chat fut effacée par le suprême bonheur d'une promenade à cent vingt à l'heure, sur la voie sur berges.

— Un mot, et tu as une récompense. Un jouet !

Je lui tournai le dos en riant.

Henri Haguesseau détestait la touffeur de notre vie, son « animalité » inconsciente, notre familiarité, le fait que Fleur me caressait souvent.

— Tu as une jolie voix, lui disait-il.

— Ah ouiche ?

— À part les « ouiche », « merciche » et l'ajout populaire des finales en *e*.

— La quoi-e ?

— Frédéric de Hohenstaufen fit élever douze enfants par des muettes. Il espérait qu'ils parleraient d'eux-mêmes hébreu. Que parlerait Julien ? « Banlieusard », sans doute. Beurk !

— Et qu'ont parlé les douze enfants ?

— Ils sont morts.

Il nous fixait parfois comme un dément, nous glaçant l'un et l'autre. Quelque chose lui échappait. Arrivé dans une tribu de singes, l'explorateur remarque deux humains très proches des canons de la beauté des magazines. La jeune femme singe, plus belle qu'une belle humaine, parle singe, et son fils singe, plus beau qu'un bel adolescent, ne parle pas. *Exciting, is'n'it* ?

— La vie est injuste. Vous devriez... Je ne sais pas... Faire de la photo pour pubs ! Je vais vous présenter à un copain photographe !

Nous éclatâmes de rire. La « vie injuste » ? On riait bien tous les deux, et plus encore avec ce fou furieux de Pierrot. Tiens, dans quelle affaire foireuse était-il ? Et si j'allais au Pré ? Le Pré ne me manquait pas vraiment. Pour être franc, j'étais intrigué de voir ce drôle de type qui s'intéressait à moi un peu plus que quiconque, avec une manière si délicate et compliquée de parler et de se mouvoir.

— Tu te rends compte ? La vie que vous avez !

De quoi fallait-il se rendre compte ? Que nous n'étions rien ? Nous le savions. Que cette vie, notre vie, était donc épouvantable ?

— Tu sais ce qu'est un doctorat ? dit le philosophe à Fleur.

— Un truc des savants ?

— Ne voudrais-tu pas qu'il eût un doctorat ?

Elle riait. Quelle bêtise !

— Il sera beaucoup plus. Je ne sais pas

quoi, mais beaucoup plus. Je ne veux plus qu'il aille traîner en banlieue.

Elle répondit, sèchement :

— Henri, tu as été formidable. Mais on va partir, avec Julien. On va repartir au Pré.

La colère, puis la peur dans ses yeux. Silence. Un de ces silences où bascule l'Histoire. Il se leva, espérant que je le suivrais, attendit, attendit encore, partit, penaud, tandis que j'écarquillais les yeux vers le fleuve à la couleur indécise sous les nimbostratus, les nuages de la pluie interminable.

— Toi, me dit-elle lorsqu'il fut sorti, ne te crois pas plus malin que les autres.

Soudain j'eus peur qu'il ne revienne pas, que je n'entende plus ses raisonnements mélodieux.

— Tu resteras à ta place, « Haghoun » ! En bas, précisa-t-elle.

Le même jour, la clinique appela le philosophe pour le prévenir que sa mère était bien fatiguée, et, comme toujours depuis plus d'un an, il refusa de lui parler. Pourquoi cette cruauté ? Que lui dire ? J'ai rencontré un petit garçon étrange, un faux muet ? Voilà une chose simple que l'on peut conter à une mère. Pas à la sienne. Pourtant il eut envie de le lui avouer, et, en échange, de demander à celle qui allait mourir : « As-tu été heureuse ? Que regrettes-tu ? Que faut-il regretter, ou éviter de regretter dans la vie ? » Ce genre de question, posée à sa mère, est indélicate. C'est néanmoins la seule vérité que peut rechercher un fils auprès de ses parents. S'il avait confessé : « Je suis obsédé par un muet. Je veux qu'il parle », elle aurait haussé les épaules, analysé : homme sans progéniture, philosophe du langage, obsédé par la parole d'un enfant... Elle savait tout, tranchait sur tout. Si au moins une fois, une seule fois, elle avait hésité : « Je ne sais pas... C'est bizarre que tu t'intéresses à cet enfant... Est-ce parce que tu veux laisser une trace dans un enfant ? Est-ce à cause du monde où il vit par rapport au tien ? »

— Nelly (il disait Nelly à sa mère), pourrais-tu, une fois, douter ?

Il tira un cigare de son étui, regarda le Louvre. Le Louvre et la Seine pour vis-à-vis, pour moi la barre de la cité des Rosiers. Sa mère avait-elle glissé sans le voir ? Elle ne l'avait jamais embrassé, jamais touché. Et lui aussi avait eu tort de passer à côté d'elle. Notre rencontre, sans qu'il ose comprendre pourquoi, le lui démontrait sans égards. Il ferma les yeux. Ah, s'enfermer dans une tombe.

Il se secoua, rejoignit sa femme boulevard Saint-Germain. Florence consultait le catalogue de Drouot. Certains achètent des frigos en promo, d'autres des manuscrits.

— Florence... Ceux qui sont en haut sont à leur place, n'est-ce pas ?

Elle le contempla comme s'il avait dit une obscénité – il l'avait dite –, cacha son dégoût.

— Ce garçon encore ? Vous avez parié avec quelqu'un ?

Il appela un ami médecin, lui demanda d'urgence un rendez-vous avec un confrère oto-rhino.

Le philosophe était trop connu pour ne pas être reçu par un grand professeur le lendemain même. Il fonça quai de la Rapée... et tomba sur une jeune Noire, Pénélope, amie de Fleur, fort dénudée, en pleines ablutions. Une forme ronflait sous la couverture du lit. La pièce puait le tabac. Pas de doute, une pute.

— Où est Julien ?

Il redescendit les marches quatre à quatre,

erra sous un beau soleil de février, poussa jusqu'au bord du fleuve, et me trouva en contem-
plation amusée d'un couple d'amoureux.

— Tu as dormi avec... ces gens ? Où est ta
mère ? Je ne supporte pas cette promiscuité !
C'est répugnant ! Tu n'es pas un animal qu'on
peut ignorer. Ou un valet de l'Ancien Régime,
devant qui on se permettait de forniquer ou
d'aller à la selle. Tu n'es pas dans une bauge !

Dieu soit loué, il était revenu ! Plus gen-
timent :

— Tu es fasciné par la Seine, hein ?
Combien de morts a-t-elle charriés ?

Étrange... je me posais la question. J'eus
envie de lui parler de « l'écriture divine »... Je
la connaissais si bien, moi aussi. Elle m'accom-
pagnait pendant les nuits d'angoisse, dans le
scintillement des points rouges et l'aléa coloré
des inflorescences que l'on voit quand on
ferme les yeux.

Le professeur de médecine avait un tic du
nez, comme s'il reniflait une mauvaise odeur.
Il me regardait, tout en jetant des regards lan-
goureux à, comment dire... au « propriétaire ».

— Votre fils ?

— Oui.

Il n'en croyait rien. Radios. Puis je dus faire semblant de mâcher du chewing-gum, de bâiller, je dus remuer ma langue dans tous les sens, faire des *a, o, i,* etc. Pas question de prononcer quoi que ce soit.

— Il n'a rien. Aucune déformation. Aucune atrophie. Pas de tumeur apparente, pas de défaut, de liaison sublinguale, de déformation palatale, aucun traumatisme. Tout est prêt pour le bel canto. J'ajoute qu'il a une dentition parfaite. Exceptionnelle... pour... pour...

— Quelqu'un qui ne se lave jamais les dents. Connaissez-vous des cas de mutisme de ce genre ?

— Des cas psychologiques.

Le philosophe laissa un billet de cinq cents, regardé par moi avec passion. Les billets sortaient de sa poche comme d'une fontaine miraculeuse, et avec une insolence que n'aurait pas dédaignée un mac du Pré. Pour un gosse de banlieue, pour qui « la thune » est beaucoup, quiconque croulait sous elle relevait d'une essence semi-divine. Il remercia, tandis que l'autre lui adressait une sorte de salut bouddhique et obséquieux, ironique sans doute. Nous tendîmes ensemble la main. Le professeur de médecine prit la grande et ignora la petite.

— Serrez-lui la main, dit Henri.

— Mais... euh... Vous voulez rire...

— Serre-lui la main, tu entends ?

Voix blanche, visage calme. Le médecin obtempéra, livide. Puis il s'excusa platement. Mieux : il proposa de me prendre une journée dans sa clinique pour des examens approfondis dans le service de neurophysiologie. Il nous accompagna même auprès de sa secrétaire pour fixer le rendez-vous.

Le philosophe avait marqué un point. Je respectais la force.

Quai de la Rapée, Fleur n'était pas là, comme toujours. Nous redescendîmes, flânâmes. Il se lança dans un radotage à haute voix à propos de tout et de rien, les immeubles de Paris, les noms des rues, puis, brusquement, sur une question philosophique qu'il résolut à mes côtés, en marchant, péripatéticien du mois de février, faisant mine de dialoguer comme son vieux maître de l'Acropole : « Le langage est-il la pensée ? Tu vas me dire ceci. Je te répondrai cela ! »

« Le langage est-il la pensée ? », là, en bord de Seine... C'était autre chose que les questions débiles que m'avaient posées la totalité des éducateurs, psychologues, flics et crétins qui s'occupaient de me faire découvrir le bonheur. J'étais émerveillé, et un peu inquiet du bouillonnement terrible de ses yeux – le bouillonnement de la pensée précisément.

— Tu es un prince, Julien. Un prince. En guenilles, mais un prince. Peau d'Âne au masculin. On va arranger ça. Si je pouvais trouver la clef qui ouvrira ta boîte à paroles... Tu es l'héritier du trône que j'ai découvert. Moi seul le sais.

En plus, il n'avait pas l'air de plaisanter.

8

Il venait maintenant presque chaque jour, l'après-midi. Nous nous promenions dans Paris qui sortait de l'hiver. Il parlait. Parfois il chantait en anglais, mi-alto mi-ténor, avec une justesse étonnante, les tubes de sa génération ! Une ou deux fois il chanta en italien.

Fleur était ravie de ne pas m'avoir dans les jambes et, quand nous la croisions, impatiente de nous voir repartir.

— Mais ces six langues qu'il parlait couramment..., lui demanda encore une fois le philosophe.

— Je ne me souviens plus. Un psy a fait venir un érudit. Il a reconnu des langues européennes, plus un dialecte arabe, que sais-je... Il paraît qu'il possède un palais et des cordes vocales extraordinaires, capables de former tous les sons du monde.

— Impossible. Le palais des enfants se forme en fonction de l'idiome maternel. À moins que...

— Que ?

— Que sa mère ne lui ait pas parlé.

Il la regarda : dédain, brutalité, désir, puis indifférence. Je lisais en lui. Parfois j'avais le sentiment de le dominer.

— Pourrais-je voir ce psy ?

— Ah, ah ! Il bavait. Un cochon timoré. Mlle de Séguier doit connaître son nom et son adresse.

Je blêmis.

— Tu ne l'aimes pas ?

Il me répugnait. Le philosophe me demanda en anglais, puis en espagnol d'aller chercher respectivement la théière, et « la petite moitié d'un morceau de sucre ». Je ramenai les deux objets.

— Six langues... Peut-être plus ?

Beaucoup plus, mais comment le lui dire ? Je fus fier soudain d'avoir parlé toutes ces langues, dont celle chuintante d'un petit Guarani arrivé dans les bagages d'un diplomate, puis abandonné avec sa mère en banlieue. La Seine étincelait. Un bateau de police remontant vers Bercy renvoya un reflet, le temps s'arrêta.

J'éprouvai un violent désir de parler. Lui parler.

Au grand quartier général de la DASS, Mlle de Séguier le reçut avec dévotion. Il apprit que Fleur se prostituait (occasionnellement), volait (occasionnellement), mentait comme elle respirait, mais n'était pas une mauvaise fille. Dotée d'un cerveau de fauvette, c'était une oiselle qui aimait son fils, avec une unique obsession : s'en débarrasser.

— Elle l'a laissé seul une fois de plus ?

— Elle vit dans un de mes studios. Je surveille le petit.

Oh, Seigneur ! Elle s'évanouissait de joie. Seigneur Dieu ! En voilà un qui jusqu'ici n'avait pas eu de chance ! Si mignon, n'est-ce pas ? Oui, oui... Mais vraiment, vous, monsieur Haguesseau, accepteriez de vous occuper de lui ?

— Est-il vrai qu'il parlait plusieurs idiomes ?

Oui, oui... Mlle de Séguier sortit mon dossier. Elle chevrotait d'émotion.

Il repartit dans un souffle de lavande avec l'adresse de ce psy, M. Vignes, qui, peu avant mon mutisme, avait fait venir un « expert » pour vérifier que je ne m'inventais pas des langages. J'avais refusé de voir Mlle de Séguier, et je refusai de voir M. Vignes. Je détestais ce personnage sans lèvres, qui ne s'était intéressé à moi que dans le but de séduire ma mère, et fut l'un des rares à ne pas y parvenir.

Henri vit M. Vignes seul. C'était un type rond, un peu gras, mal soigné, mais suintant d'intelligence, flatté de recevoir le grand Henri Haguesseau, et cachant plutôt bien son bonheur. « Un raté », jugea le philosophe.

— Vous savez que plus on est jeune, plus le temps d'apprentissage d'une langue est bref ? dit-il. (Silence.) Julien possède un autre don : la mémoire quasi absolue.

— Vraiment ?

— Si vous récitez l'annuaire devant lui, il le retient en grande partie.

— Un « crétin savant » ?

— Non. Julien est hyperintelligent. L'hyperintelligence n'existe pas sans une grande mémoire. Il met deux semaines pour apprendre une langue, au lieu de trois ou quatre mois pour n'importe quel enfant.

Il attendit la réaction du philosophe. Pas de réaction.

— La seule chose dont je suis certain, c'est que plus le temps passe, plus il sera difficile pour lui de parler. Personnellement, je parierais qu'il ne parlera jamais.

Toujours rien.

— Le pur mutisme ne dure guère plus de deux ans. Au-delà, c'est la mort. Anorexie, suicide, autisme banal. Julien, si je compte bien, ne parle plus depuis cinq ans. Mystérieux, non ?

— Très mystérieux.

— Monsieur Haguesseau, voulez-vous une bibliographie sur le mutisme ?

Silence. Les yeux marron sans pupilles de Vignes s'éclairaient. Quelle était l'odeur de ce bureau ? se demanda Henri. De l'encens ? De la pisse de chat ? De la crasse intellectuelle, diagnostiqua-t-il.

— S'il est foutu physiologiquement, comprenez-vous, c'est cuit. (Il jubilait.) Il ne pourra plus parler.

Et son visage de salaud ne pouvait s'empêcher d'irradier.

— Quelles langues parlait-il ?

— Ma foi... Anglais, espagnol, arabe, por-

tugais, un dialecte indochinois, euh... Ah !
macédonien. Oui, le macédonien.

— On ne peut rien ?

— On peut toujours réessayer...

Le philosophe détesta cet individu sournois,
intelligent, pervers, et fut un peu désespéré. Il
fit venir quelques monographies sur les muets
psychologiques, lut chez lui, le regard absent
posé sur le Louvre. Rien de bien passionnant.
Des traumatismes, des violences, des peurs.

— Tu n'as pas envie de parler ?

« Envie... » C'était plus compliqué. Dans
une foule – par exemple un réfectoire, un
stade –, je peux capter tous les mots et toutes
les mélodies humaines. L'interjection apeurée,
le soupir d'agacement ou d'émotion... tout
m'assaille. Imaginez un fou qui secoue tous les
mots du dictionnaire dans un grand sac, et les
lit devant vous. Après l'épisode paternel, les
idiomes se mêlèrent dans ma tête, comme si
Babel se recomposait à partir d'une mixture
d'expressions, bouts de phrases, syllabes, phonèmes : non pas la langue primitive, mélange
harmonieux de toutes les langues – comme la
lumière est le mélange des couleurs parfaites,

lesquelles, diffractées par le prisme, donnent l'arc-en-ciel –, mais un tourbillon grisâtre.

J'avais besoin d'eau pure. « Envie... » Oui, quelque chose comme l'envie de parler montait en moi.

— Quelle est la couleur du A ?

Sans hésiter, je désignai sa décoration.

— Rouge... Rimbaud dit noir, mais il dit aussi : « Les noires blessures ». Une fois de plus, tu sais.

9

Il arrivait quai de la Rapée, s'installait, ouvrait un atlas ou un dictionnaire des fleurs qu'il venait d'acheter et lisait à haute voix. Je dégustais les mots et sa voix. Il était anachronique, extraordinairement patient, amoureux de la lenteur. Je percevais l'écoulement du sablier du temps, grain à grain, tombant au ralenti. M'immobilisait dans l'instant le miroitement de la Seine, chaotique dans ses milliers de reflets et pourtant identique. Fleur enrageait de le voir. Un jour, elle se défoula brutalement sur moi :

— Casse-toi ! Va voir ailleurs si j'y suis.

— Je ne supporte pas que tu lui parles sur ce ton ! me défendit Henri. Toi, ton père, ou quiconque ! Je vous interdis de lui parler comme à un chien !

Je le regardai, intrigué. Comment me parlait-elle ? Comment fallait-il parler aux enfants ? Fleur hurla.

— Qu'est-ce qui te prend ? Ce gosse est à nous. Tu crois que j'en ai pas marre de ton manège ? Qu'est-ce que tu cherches ? À le faire passer dans des cerceaux ? Ce gosse est à nous, tu entends ? D'ailleurs, je te l'ai dit, on va partir. On m'a parlé de quelque chose au Pré.

Ce fut un choc. Je ne voulais pas partir.

Henri était pâle. « Ce gosse n'est pas à vous... bande d'*untermenschen* », disait son regard.

— Et si je te trouvais un boulot, bien payé, pas loin d'ici ?

Elle se calma.

— À voir.

— J'ai pris rendez-vous pour Julien chez un orthophoniste.

— De quoi tu te mêles ? Je prends des rendez-vous pour toi, moi ?

— Je paierai. Je te paierai.

Elle s'en moquait. Elle n'était pas vraiment vénale. Elle se moquait encore plus de m'avoir ou non. L'eût-elle pu, elle m'eût perdu. Sans remords. Depuis mon plus jeune âge, elle m'avait toujours oublié. Dans les cafés, les supermarchés, chez des amis. Personne n'avait jamais eu de difficulté à me garder, et elle me confiait au premier venu.

— On file chez l'orthophoniste ! dit-il.

— Il t'aime pas, dit Fleur.

Il prit le coup en pleine poire.

Je baissai les yeux.

— Il t'aime pas.

Elle enfonçait le clou. Ses yeux brillaient.

— Il m'aimera. Allez ! Viens.

C'est elle qui eut peur. Il prit ma main. Elle saisit l'autre.

— Il est de chez nous, tu comprends, bourge de merde ? Je t'interdis de l'emmener ! Je te ferai casser la gueule ! hurla-t-elle.

Henri me tira. Je résistai. Il tira plus fort. Je résistai plus fort. Et puis je me laissai aller, lâchai la main de Fleur et le suivis, délicieusement soumis, inquiet et émerveillé de ma réaction. Elle hurla, fracassa un verre contre un mur. Elle aurait oublié dans trente secondes.

L'orthophoniste nous reçut en hâte, obséquieux. Il vérifia que je n'étais pas sourd. Puis il me fit le « loto sonore » : des images à associer à des bruits : l'avion qui décolle, le crapaud qui coasse, la vache qui meugle, l'aspirateur de maman, etc. Je faisais tout à l'envers. Il comprit.

— Votre enfant le fait exprès !

Henri soupira. Nous sortîmes. Il était déçu, accablé presque. Il perdait. Que perdait-il ? Son temps ? Beaucoup plus. Il aurait pu être dans sa chère bibliothèque, à la télé, dans son bureau à souligner – bleu pour les noms propres ou les dates, rouge pour les idées – les phrases d'un livre. Sans succès il avait tenté de monnayer les cadeaux – patins à roulettes, vélo.

— Tu n'es un homme que parce que tu as la faculté de parler. Peut-on percevoir la beauté sans la nommer ? (Pour lui-même :) Serions-nous prisonniers ? condamnés à la parole ?

Nous descendîmes le boulevard Saint-Michel, lui feignant de me parler, mais ratiocinant seul, des passants s'arrêtant, émerveillés de le voir. Long arrêt devant le Luxembourg.

— Allons manger une glace.

À côté de la librairie José Corti, petit couplet sur Gaston Bachelard et la lecture.

— Qu'aimes-tu à part les glaces, que veux-tu ?

Ce que je veux ? Mais tout, évidemment !

À un Julien soudain intrigué et imperceptiblement apeuré :

— Tu me trouves gentil ? Tu crois que je
suis un homme gentil ? Je ne le suis pas. J'ai
su être dur, odieux avec mes semblables. Je ne
les aime pas. Ne te fie pas à mon sourire ni
à ma politesse, ils appartiennent à ceux qui
condamnent à la torture ou à la mort, du bout
des lèvres, comme on remercie un laquais.
Peut-être te parlerai-je un jour de l'ambition,
ce cancer des hommes... Et des hommes et des
femmes qui ont souffert à cause de moi. La
lutte humaine ce n'est pas des coups de poing,
c'est profond, moral, ça chatouille l'âme. J'ai
rendu coup pour coup dans la vie. Et pour
une dent, toute la mâchoire. Je me suis tant
battu, au fond, dans ma vie tellement lisse !

Très vulnérable en ce moment. Fatigué par
cette lutte ?

— Alors ? Qu'est-ce que tu aimes ?

Les conversations, la sienne. Les hommes
sont hantés de fantômes. J'en savais autant que
lui sur la vie. « Henri, sous cette peau sans
poils de singe déclassé, gisent les mêmes misé-
rables tas de secrets. »

Tout à coup, j'eus une envie intense de lui

dire cette pensée piquée quelque part. Je le fixai. Moi aussi j'étais un penseur, comme lui.

— Julien ?

Mon souffle s'accéléra.

— Oui, Julien ?

« Te dire ce que j'aime ? Tu vas tomber de haut ! Les bagarres. » Un jour, dans le jardin de la villa du Pré-Saint-Gervais, Rachid avait rossé un jeune voisin coupable de reluquer Fleur. Deux hommes accouplés, le jeune visage contre la terre. Pas mal, déjà, quand le philosophe avait menacé l'oto-rhino. La pensée des bagarres me referma comme une huître. Et si j'allais au Pré, à la traîne de la bande, à courser une petite Arabe, Aïcha, dans les souterrains de la cité ?

— Julien, il n'y a pas de limite au nombre de messages qu'un locuteur peut produire ou comprendre. C'est ça, l'humanité ! Faire des phrases en nombre infini.

J'étais ailleurs, dans les prémices d'un coup de couteau pour une place de parking.

— Si je te dis : « Le Père Noël n'existe pas ? » est-ce que le Père Noël n'existe pas ?

J'acquiesçai.

— Et pourtant je fais l'hypothèse que le Père Noël pourrait exister. Donc le Père Noël est bien quelque chose qui existe, sinon je ne pourrais nier son existence. Ah ! Ah !

Il sourit malicieusement. Quelle envie encore de parler ! Il le sentit. Pire qu'une douleur d'accouchement.

— Écoute : « Les mots démonétisés ». Aragon. C'est une métaphore. Une métaphore est ce dont on ne peut jamais épuiser le sens. Une métaphore te prouve que ta pensée est infinie. Tu comprends, Julien ?

Oui. Mais le rodéo sur la petite Aïcha, le sang coulant d'une de ses narines... Et si j'allais au Pré ? Rejoindre Pierrot ? Et si Fleur partait, partirais-je ? Évidemment. Quelle horrible perspective ! Quand je cessais d'entendre pendant plus de deux jours sa voix « ironique » et ses phrases mondaines et interminables, pleines de mots étranges, adressées à moi, petit garçon de rien, du *lumpen*, j'étais désespéré. Depuis quelque temps, Fleur ne rentrait plus chaque nuit. Et quand je restais seul, je calmais mon angoisse en fixant la Seine et en égrenant les noms de fleurs, d'étoiles ou de marine issus de sa dernière lecture, et pleurais, pleurais mon quota de larmes retenues dans la journée, les yeux fermés et brouillés par l'écriture divine.

J'attendais Fleur, songeant intensément :
« Toi, Henri, tu ne m'abandonneras pas ? »

Pierrot réapparut au quai de la Rapée le lendemain de la conversation à côté de la librairie
José Corti.

La Seine brillait et moutonnait à cause d'un
vent glacial sous un ciel immaculé. Le philosophe dit qu'il faisait, une fois de plus, cadeau
du loyer. Puis il tâcha de convaincre Fleur
d'accepter une place de serveuse dans un café
du Marais, le Café Commercial.

— Accepte, dit Pierrot.

Le grand-père arborait un costume neuf,
complètement démodé, refilé par l'Armée du
Salut. Il n'était plus représentant en fromages,
mais en produits financiers. Il expliqua l'assu-
rance vie. Il frimait devant sa fille. Elle était sa
seule réussite. Il l'aurait volontiers refilée à ses
potes, comme bakchich, pour faire avancer ses
affaires. En Thaïlande, il l'aurait vendue sans
émoi à un bordel. Fleur écoutait, fascinée.

— Fleur, que décides-tu ?

Henri se déplia, excédé.

— Fleur, je pars !

Elle ne répondit pas. Je le raccompagnai jusqu'à la porte. « Tu viens ? » J'hésitais. Il attendait. Non, je reste. Je reste avec Pierrot. Il partit, triste, vaincu, et Fleur rit. Mais je lui en voulus : après tout, pourquoi ne restait-il pas à écouter mon grand-père ? Pourquoi le méprisait-il ? Et aussitôt l'angoisse : s'il ne revenait plus ?

Fleur partit à son tour. Pierrot se prépara à bouffer. Apparut Pénélope, désireuse d'utiliser la baignoire. Elle commença à se déshabiller. Pierrot la viola à demi, tandis qu'elle glapissait :

— Le gosse ! le gosse !

— Il est muet.

— Mais il voit ! Il entend, nom de Dieu !

Ensuite le couple partagea la baignoire. Pierrot poussa des couinements de porc. Puis Pénélope sécha ses cheveux, son peignoir ouvert sur sa belle peau noire.

J'aurais dû partir avec le philosophe.

— Alors, Julien, dit Pierrot en flattant la croupe de la fille... c'est quoi, ce philosophe ? Tu vas te laisser emmerder longtemps ? Ou tu vas prendre la grosse tête ?

Je lui fis un bras d'honneur. Il hurla. Comment pouvait-on traiter ainsi son grand-père ? Il se drapa dans une dignité de vieux sage offensé. Je pouffai. Il bondit, dégoulinant, voulut me gifler, me rata et s'aplatit. Pénélope cria. Pierrot me prit les cheveux au-dessus des oreilles, là où c'est sensible. On me les avait tellement tirés, ma mère, mon grand-père, les éducateurs, les nounous... « Petit con ! Je vais te dérouiller ! » Mais il se marra, et je décampai.

Le philosophe avait disparu depuis long-temps. Je marchai vers l'île de la Cité, déçu. Jamais je n'attendis son retour avec autant d'impatience.

10

Sauvé ! Nous restions quai de la Rapée.

Fleur avait accepté la place de serveuse au Café Commercial, dans le Marais. Le philosophe payait de sa poche un supplément au salaire que versait M. Cario, un énorme et lubrique Levantin. Aussitôt Pierrot y tint ses quartiers de représentant. Pénélope, Fernand et d'autres amis y passaient, et quelques gars du Pré apparurent : Rachid, le nègre Pamphile, un des frères Bouzzadia, et même Mélik et Mamad, la nouvelle génération des durs de treize ans.

C'était bien. « Haghoun ! Tu es chez les rupins, maintenant ! » « Haghoun ! Vise la moto du copain de ta mère ! »

Le philosophe aussi venait au Café Commercial.

Il me déclara :

— Tu sais, Julien, j'ai trahi beaucoup de monde.

Trois mois avaient passé. Le printemps était là. Je m'étais habitué au grand dadais, ne détournais plus les yeux quand il approchait ses lorgnons à me toucher et me scrutait, inquiet, bizarre. Mon visage lui en disait plus qu'un long discours. Craignant que je ne sois physiologiquement perdu et que le temps joue contre lui, il cherchait la faille. Se jouait dans ma tête d'enfant de neuf ans quelque chose que je percevais parfaitement et avec stupeur : le destin. J'aurais aimé l'aider, lui faire comprendre que j'avais besoin d'« eau pure »... Nous partions sur la moto et visitions Paris. Il prit l'habitude de m'installer à côté de lui dans les bibliothèques. Quand il lisait, il ramenait inlassablement vers l'arrière ses longs cheveux blonds. Le passage à la bibliothèque était parfois récompensé, à huit heures, par une séance de ciné.

Comme souvent, le philosophe déjeunait chez Lipp, ce jour-là avec Florence.

— J'ai trouvé une place à Fleur.

Silence.

— Il est dans sa bulle. Heureux ? Qui sait... Il ne reste qu'à ouvrir.

Silence.

— Dès qu'on le tire un peu, il retourne à sa vase comme une carpe. C'est révoltant ! Il faut le voir sourire au milieu de ces idiots éructant leur verlan.

— Que faites-vous ? Du dressage ? Achetez-vous un chien.

— La vie est affreusement injuste, Florence.

— « Justice... » Gardez ces âneries pour vos cours de philosophie.

— Acceptez de le rencontrer...

Elle haussa les épaules, se regarda au-delà de lui, dans le miroir derrière la banquette, absente. Sur le boulevard Saint-Germain, il manifesta son désir de la raccompagner pour une petite séance érotique, fut remercié, et en ressentit une frustration proche de la rage. Jamais elle ne l'avait repoussé. Il suivit des yeux sa jolie croupe et, bafoué, morose, prit sa moto et se dirigea vers le Café Commercial.

Fleur, Pierrot et le patron lui firent de

grands signes. Il les haït par-delà l'imaginable.
Je lisais un illustré.

— Sais-tu l'idée que vient d'avoir Pierrot ?
dit Fleur. Ouvrir un café philosophique !

Un café philosophique ! C'était bien une
idée de ce débile léger de Pierrot ! Il ne daigna
pas répondre, exhala un soupir de mourant,
alluma son cigare, lut par-dessus mon épaule.
Vroum la moto. Trois quarts d'heure plus
tard, il posait deux gros volumes de Simenon
sous mon nez, trois romans par volume.

— Qu'est-ce qu'on dit ? On se tait comme
toujours. Bon.

Je me bouchai les oreilles et ouvris volup-
tueusement *L'Enterrement de monsieur Bouvet.*

Quelques heures plus tard, Florence dressait
une table particulièrement élégante pour six
couples aidée de la femme de chambre et du
maître d'hôtel. Pourrait-il se passer des ors et
des cristaux ? Jamais. Et pourtant, à cet instant, s'il avait pu, il aurait foncé quai de la
Rapée.

— Chéri...

— Oui ?

— Mon père veut vous parler.

— Ah !

— D'argent et d'affaires, ai-je cru comprendre.

— Ah-ah !

Le philosophe passa vaguement sa main sur les cheveux de l'épouse, essuya ses lorgnons. « Pourquoi ce garçon est-il muet ? » et pourquoi était-il impossible de ne pas se poser la question toutes les trente secondes ?

— Chéri... pouvez-vous me faire la faveur de m'écouter ?

Pourquoi s'être intéressé à moi ? Le philosophe énuméra mentalement, pour la centième fois, les mêmes explications insatisfaisantes : parce que le rêve de tout philosophe est de découvrir la pierre philosophale, de transformer le plomb en or et les petits frustes Julien en grands Henri raffinés.

Parce que Fleur était... une fille mère... – jamais l'expression n'avait été aussi appropriée –, capable, comme un animal, d'abandonner son fils mort ou blessé et dotée d'un amour essentiellement tactile. Lui, pas une fois sa mère ne l'avait touché. Les bonnes le lavaient, lui frottaient méchamment le cuir chevelu, le séchaient, l'habillaient, et le remettaient propre et odorant à Nelly sa mère qui faisait une partie de mikado ou un puzzle allongée sur le ventre devant le feu en compagnie d'un inconnu. Elle vérifiait ses oreilles, puis ses ongles, et l'envoyait se coucher sans jamais interrompre le sourire destiné à l'inconnu qui ne le voyait pas plus qu'elle. Oui, peut-être l'amour maternel d'une fille-mère-fille-à-hommes intrigua-t-il le philosophe. Plus quelques considérations anthropologiques, eugéniques et raciales : les passions à travers le prisme de la pauvreté. L'argent, les jalousies, les dynasties, la bâtardise, l'adultère, Shakespeare version *gueux et gueuses*. Qu'est-ce qui sépare la passion du nanti de celle du miséreux ? La propreté, la pudeur ; le corps, les cris et les larmes cachés. Mais l'obsession de l'argent, par exemple, est aussi forte chez les pauvres que chez les riches. Les riches ne parlent que d'argent. Les pauvres aussi.

— Henri ! Allez-vous m'écouter à la fin ?

Le boulevard Saint-Germain était étrangement vivant et silencieux au-delà des doubles vitrages. Paris colonisé, vaincu par les voitures entrant et sortant, comme les fourmis dans un cadavre.

— Vous savez, Florence, je parle beaucoup avec Julien. Je sais ce qui l'intéresse et ne l'in-

téresse pas. Nous sommes de deux mondes différents.

— L'immense découverte !

— Et pourtant, il est très sensible à la
beauté. Il a survécu à l'horreur de son monde.
Vivre en banlieue lui a donné la carapace invi-
sible d'Achille.

— Et si l'explication, mon chéri, plus
banale de votre intérêt pour Julien était celle-
ci : tout homme, fût-il le plus grand philosophe, a envie de laisser une trace immémoriale,
œuvre, temple, pyramide ou enfant ; vous ne
laisserez ni œuvre ni temple ; comme tous les
prolétaires, vous n'aurez de richesse que d'enfants.

Il rit. Il aimait cet inlassable « mon chéri ».
Mais le mot « prolétaire » lui perça le cœur.

11

Le philosophe revint à la DASS, négocia, et, le dernier jour de mars, lui, à grands pas mesurés, et Mlle de Séguier clopinant, m'accompagnèrent à l'école primaire de la place des Vosges.

— Comment se fait-il que ce garçon ne parle pas, mademoiselle ? demanda le directeur, un blondinet barbu à lunettes américaines, qui regardait Henri Haguesseau comme une jeune épousée prête à passer à la casserole.

— Contentez-vous de lui laisser suivre la classe, dit Henri.

Le directeur, un peu pâle, décida que j'intégrerais le cours élémentaire un. Il faisait la roue, contestait pour la forme, se haussait du col, démontrant qu'Henri et lui relevaient du même monde. Soudain, il le tutoya. Je fus mortifié. Au moment où nous prenions congé, il sortit prestement un bouquin pour une dédicace. Son visage ruisselait de servilité. Henri refusa, et le directeur resta son bouquin à la main, décomposé. Dehors, à moi, admiratif :

— Ne jamais respecter les faibles. Toujours les mépriser, juré ?

Je jurai. Je découvrais la méchanceté sous sa forme « intellectuelle ». La haine cérébrale, froide, minérale. Autre chose que les jurons et les coups...

Nous sortîmes et allâmes boire un thé pour l'une, un Coca pour les deux autres, au Café Commercial ? Fleur nous servit avec effusion.

— Ma petite, tu n'as pas toujours eu une vie facile...

— Non, mademoiselle.

— Dieu a voulu cette rencontre.

— Oui, mademoiselle.

Dieu voulait toutes les rencontres et toutes les ruptures. Elle me regardait de ses yeux bleus hypertrophiés de bonté, porteurs des souffrances et des charités de l'espèce. La DASS l'avait gâtée. Ayant évité le couvent d'un cheveu et ne connaissant du sexe que le mot, elle avait tout avalé dans l'abomination de la désolation et dans tous les pays du monde, du Bangladesh au Pérou, mais la DASS demeurait le pire.

— Julien ! Si tu savais ! soupira-t-elle.

Je savais. J'avais eu droit vingt fois à l'épopée du malheur. Henri Haguesseau eut la vingt et unième. Il y avait Bimbalo, le monstre de dix kilos âgé de deux mois... Impossible de faire comprendre à sa mère qu'il fallait cesser de l'engraisser... Bimbalo enflait, enflait et avait fini par crever. Et Simon, un mois, que sa mère abandonnait en plein soleil « parce que ça lui faisait du bien ». Et Nathalie, deux ans, que l'on trempait dans l'eau glacée pour d'obscures raisons. L'inceste banal. Les mères qui ne savent ni langer ni changer ni nourrir, analphabètes, trop jeunes, déjà enceintes à nouveau d'un oncle, d'un passant, d'un père.

— Bien, bien, coupa Henri.

J'écoutais. La vie est dure ? Et alors ? La tragédie existe en bas, chez les pauvres, aussi violente qu'en haut chez les rois ? Le cutter du clochard et l'épée du duc sont sortis devant les yeux d'une ivrognesse ou les cheveux d'or d'une vierge ? J'avais vu des bagarres de clodos pour une belle, un caïd se tenant les tripes comme avant de vomir après un coup de couteau pour une place de parking, l'œil d'un des fils Bouzzadia pendant au nerf optique après une chute à moto...

Apprenant que son petit-fils allait entrer à l'école, Pierrot débarqua avec un nouveau métier : coiffeur à domicile. Ayant racheté un vieux matos, il se proposait de révéler ses talents à l'humanité. Il me fixa. Il m'empoigna, me bloqua à m'étouffer, puis me coiffa sous l'œil ironique de ma mère. Ses ciseaux n'avaient pas été affûtés depuis trois générations. Ce fut épouvantable. Plus il rattrapait, plus il creusait. Finalement il égalisa à la tondeuse, encore plus terrible que ses ciseaux. Henri sonna.

— C'est Henri ! souffla Fleur. Finis-le !

Le philosophe entra, et considéra Pierrot, puis moi, l'allure d'un teigneux, puis Pierrot.

— Mais vous êtes malades ! hurla-t-il. Je vous interdis !

— Tu nous interdis quoi ? dit Fleur. Nous sommes chez nous ici. D'abord, il n'ira pas à l'école.

Il se décomposa. Il parla, très lentement :

— C'est pour ça que vous l'avez tondu, hein ? Si vous ne me laissez pas emmener ce gosse à l'école, je vous jure que je l'y fais mener de force.

— Les flics, hein ? dit-elle, mi-pleurni-charde, mi-venimeuse.

Pierrot observait. Henri me regarda. Il comprit.

— Non, pas les flics. (Soulagement.) Non. Mais une connerie de plus, et vous n'aurez plus la garde de cet enfant ! Quant à vous, dit-il à Pierrot, je ne veux plus vous voir. Ce studio est pour Julien et sa mère.

— Pas de problème, dit Pierrot. Je suis chez ma copine Nadia. Elle fait des pizzas. Je peux vous avoir des pizzas à l'œil. Vous voulez une pizza, monsieur Haguesseau ?

Il parlait sans malice. Il aurait aimé faire cadeau d'une pizza au philosophe.

Je lui en voulus d'avoir viré Pierrot. Pour-quoi n'aimait-il pas ceux que j'aimais ? Pierrot était-il de ces faibles qu'il fallait mépriser, question de vie ou de mort ? Je le guignais du coin de l'œil, boudeur, à la terrasse d'un café place de la Bastille. Il disait que la philosophie aimait la sagesse, mais qu'elle réfléchissait sur des questions insolubles : la liberté, l'existence,

111

Dieu, la beauté. Qu'elle défaisait et refaisait sans cesse l'ouvrage de sa réflexion. Comme Pénélope. Vague éternelle, elle dessinait et effaçait la vérité. Je me laissais bercer. Le langage était la plus belle question. Le langage était un « éther », comme l'air que nous respirions. Nous baignions dans lui.

Pourquoi as-tu viré Pierrot ? J'aime mon grand-père, Henri, même s'il me laisse tomber sans cesse.

— Nous baignons dans le langage, Julien.

Oh, ça va, je sais, je sais... Je ressentais mieux que quiconque, moi qui me taisais, ce « bain » du langage.

Il prit mes mains — maladroitement, il se faisait violence pour me toucher. Les mains d'un homme sont aussi intéressantes que son visage. Celles-ci étaient souples et lourdes, des mains de chirurgien ou de peintre ; voulais-je être peintre ?

M'endormir, bercé par ses longues phrases...

Le lendemain nous visitâmes le Louvre, en stationnant devant les autoportraits pour observer les mains. Nous finîmes par les salles grecques. C'était donc elle, Athéna, la déesse du philosophe... « Regarde-la, armée et cas-quée. La Sagesse est fille de la Force. » Le phi-losophe était fort. Il me raconta comment. Arès et Aphrodite, la femme d'Héphaïstos, s'étaient fait prendre en train de l'amour par le filet de Poséidon. Et comment les dieux se marraient de les voir à poil enlacés. Je l'aurais écouté des heures.

— Pourquoi cet autisme, Julien ? Tu as parlé autrefois !

Je serrai les mâchoires.

— Tu as envie de parler.

Je serrai plus fort. Il me regarda longue-ment. Il aurait bien descellé ma bouche au pied-de-biche.

Il évoqua Kaspar Hauser, découvert en 1828 à Nuremberg, muet, âgé de seize ans environ. Malgré ses efforts et ceux de son tuteur, il ne put parler, et en souffrit abomina-blement, jusqu'à ce qu'on le tue. Mon cœur battit, et je crus ne pas pouvoir retenir mes larmes... Pouvait-on mourir d'être muet ? Comme j'aimais Kaspar ! Mais pourquoi l'avoir tué ? Soudain, presque tragique :

— Tu as de la chance.

Oui, j'avais de la chance. Puis :

— Tu vas connaître Florence.

Auparavant j'eus droit à une séance d'habillage rue de Rivoli. Chemise de lin, blouson de chevreau, jean à dix fois le prix que payait ma mère au marché du Pré, chaussures de chez Common's. Puis nous allâmes à son fameux « bureau », si compliqué d'accès.

C'était la première fois. Nous restâmes une bonne demi-heure, silencieux, à regarder la Seine et le Louvre, et le trafic sur les berges dont on ne percevait aucun bruit. Il m'observait. Je me levai, caressai les statues, les bustes, les tableaux, les crédences, les fauteuils de cuir. Bibliothèque lambrissée, immense. Parquet luxueux. Plafond marqueté, si haut. Quinze rayonnages autour de la pièce, une mezzanine, deux escaliers en colimaçon et des échelles aux quatre coins, des lampes vertes Arts déco, des portraits. « La famille de ma mère. » « Descartes. » Je regardai Descartes, la peur au ventre.

— Si tu parles, la bibliothèque sera à toi. Et... et si moi je cessais de parler ? Parfois, je me dis que tu as raison : il faut se taire. (Il soupira.) Je perds pied, Julien, je me noie. Je quitte ma vie.

Cet aveu...

Nous marchâmes en silence jusqu'au boulevard Saint-Germain.

Je n'imaginais pas une telle richesse. Je n'imaginais pas ce monde. Le maître d'hôtel nous ouvrit, et nous attendîmes Florence dans un salon. Son silence me nouait l'estomac. Enfin elle apparut, belle, et, je ne sais pourquoi, protectrice et bienveillante. D'un coup, désespérément, dans mon inquiétude de petit garçon déboussolé, je lui offris une passion. Elle me rendit une affection étonnée. Lui n'était pas aimé, quelle tristesse pour moi de le voir, comme un médecin voit une tumeur chez quelqu'un qui se croit bien portant. Il ne lui avait pas menti. J'étais bien le beau garçon promis, malgré mon crâne aux cheveux ras. « Venez, Julien. » Je tremblais. Nous étions trois autour d'une table, et deux personnes nous servaient. Je n'osais pas manger. En fait, je ne savais pas. « Vous ne parlez pas, Julien ? » Lui aussi se taisait. « Henri ! Vous ne dites rien ! » C'était insupportable.

Et, soudain, j'en eus assez de son fric, de son luxe, de sa tête de taré bronzée aux UV et de son corps soigné à quatre heures de natation par semaine plus deux de massage, marre de ces deux singes habillés qui nous servaient et me regardaient comme un pou, des porcelaines, des bronzes, des tableaux éclairés, du cou ruisselant de perles de sa femme et de sa montre à lui qui valait le prix d'une grosse bagnole. Et des fanons qui commençaient à pendouiller sous son vieux cou de vieux beau. C'était ça, mon destin ? L'embaumeur, la momie maquillée ? Se rendait-il compte seulement qu'il n'était plus aimé ? Comment le prévenir ? Lui dire l'évidence : « Attention, Henri, elle ne t'aime pas, tu es ridicule avec ton regard supérieur et ton cigare... » Je le haïssais soudain, lui, mon idole, de se dégonfler à mes propres yeux.

Je me levai et m'enfuis.

— Merde, merde, merde, murmura le philosophe.

Je l'entendis courir derrière moi.

— OK, OK. J'ai fait une connerie. On va faire un tour à moto, d'accord ?

12

J'intégrai donc le cours élémentaire un de la place des Vosges. À l'école, Amant tomba amoureux de moi. Sa mère était une sorte de star, habillée en jean et chemisier de soie, les cheveux blonds et flous, genre négligé, mais quelque chose disait qu'elle était richissime, ce qu'elle était. Elle devait se coucher tard. Elle bâillait en accompagnant son garçon. Blond et faible, Amant lui ressemblait comme deux gouttes d'eau, avec un visage féminin. Les autres l'appelaient « fillette ». Mon mutisme le fascinait. Il me couvrait de petits cadeaux. Parfois, nous nous promenions main dans la main.

— Voudrais-tu venir chez moi ? dit Amant.

Sa mère était trop heureuse que son fils ait enfin un ami. Je me retrouvai dans un véritable palais, en plein Marais. Une jeune domestique me regarda avec haine, devinant que nous étions du même bord. Mme Amant passa, un téléphone collé à l'oreille, et nous ignora. Amant indiqua la tirelire destinée aux emplettes, que je soulageai d'un billet de cinq cents francs.

Puis je l'emmenai dans le métro. Il ne l'avait jamais pris seul, évidemment. Je lui appris à sauter les barrières. Nous y passâmes l'après-midi, heureux. Restait le plus dur : lui faire traverser la voie. Une bonne station-école est Strasbourg-Saint-Denis, direction Pont-de-Sèvres. Un seul rail électrifié, et un refuge en face. Il suffit d'escalader rapidement. J'enjambai calmement le rail, me hissai, laissai passer la rame, redescendis, réemjambai le rail, et revins devant Amant en larmes et cent cinquante personnes éberluées. Je le pris brutalement par la main et le traînai au grand jour.

La vie était paisible. J'avais découvert le calme. J'étais au fond de la classe, lisant Simenon. Henri Haguesseau venait me chercher, s'enquérait de mes progrès. Un soir, il m'emmena à la clinique du professeur de médecine au curieux tic du nez. Je ne compris pas tout de suite. Au moment où les infirmiers me conduisaient dans ma chambre, je m'enfuis, renversant une tablette, suivi par des hurlements et, finalement, une alarme. Je courais, comme je savais faire au Pré, malicieux, heureux, insaisissable, prenant dans ma terreur du plaisir à ma fuite. On me ceintura et me ramena devant le philosophe et le professeur. On avait pris la moto comme pour une balade ordinaire, et là, je me retrouvais enfermé, trahi... En même temps, j'avais perdu. J'acceptai, comme un animal qui sait devoir être bouffé par un autre, fataliste, épuisé et essoufflé. Je ne sentis pas la piqûre.

Deux jours plus tard, ils parlaient, assis de part et d'autre de mon lit.

— ... lèvres, voûte palatale, langue, cavité nasale parfaites..., pas de lésion de l'hypothalamus. Pas de mouvements de langue et de mouvements faciaux anormaux. Pas de syndrome d'Isaac...

— De quoi ?

— Un tic caractéristique de l'autisme. Pas de frissons, de vibrations musculaires, de regard fuyant, d'automutilations ou de symptômes d'hyperactivité, fréquents également chez les autistes. Ah ! Pas de manifestations de pica.

— Quoi ?

— Coprophagie. Signe d'autisme encore. On a examiné le cerveau... Rien.

Le médecin manipulait ses feuillets, réfléchissait. La tête d'Henri était effrayante d'angoisse. Il prit ma main, puis la laissa brusquement, honteux.

— Tests d'épilepsie corrects... Pas de syndrome du cri-du-chat. Et pour finir : moelle épinière parfaite. Conclusion...

— Conclusion ?

— Conclusion ? Il parle.

— Il ne parle pas.

Le médecin prit un petit air enfantin et malicieux.

— Nous avons observé son sommeil. Et là, nous avons constaté deux choses fort intéressantes.

Il baissait la voix, comme un figurant de film policier sur le point de donner un indice.

— Accouchez !

Silence, puis :

— L'oreille droite alimente l'aire gauche du cerveau, les sons (Broca) et l'oreille gauche l'aire droite de la prosodie (Wernicke). Nous l'avons testé pendant son sommeil. Il refuse très souvent l'oreille gauche. La prosodie le gêne. Comme s'il était saturé. Il n'aime pas la musique de la langue.

« Il n'aime pas la musique de la langue... » L'idiot. J'aime, j'adore la musique de la langue, c'est pour ça que je ne supporte pas la plupart des cacophonies humaines. Henri pouvait parler des heures.

— Et cette seconde découverte ?

— Pourquoi tenez-vous tant à ce qu'il parle ?

Le philosophe balbutia, se lança dans une sorte d'éloge des langues :

— Il y a six mille langues dans le monde... Chacune exprime Dieu, l'amour, la peur. Jamais Stendhal ne définira mieux l'amour qu'un Guinéen...

— Quel rapport avec Julien ?

Aucun, en effet. Il ne voulait pas dire ce qu'il ressentait.

— Julien, seul, abandonné, promis au destin le plus sordide, devrait... être un génie des mots ! Oh, et merde : je veux le sauver.

Et si je le sauvais, moi ? Lui redonnais le goût de vivre ? S'il était, lui, le débiteur ? Me devait quelque chose, au fond, du fond de sa vie empaillée ? Si je lui réinsufflais un peu de vie, l'animais, pauvre mannequin richissime du VIe arrondissement et non l'inverse ? S'il bouffait ma moelle ? Il ne craignait pas la mort. Mais il s'interrogeait à nouveau, s'étonnait à cause de moi, la fraîcheur de la vie soufflait sur lui.

Le médecin sourit :

— Si vous mettez un nouveau-né à côté d'un poste de radio, il ne parlera jamais. Sa mère lui a-t-elle donné le désir de parler ?

— Non.

Faux, Henri, faux, ma mère à la voix d'ange m'avait donné ce désir. Il faudrait que je t'explique, définitif ignorant des femmes, de ta mère, de ta femme, du lien entre un enfant et sa mère. En fermant les yeux, je retrouvais encore le bruit de sa voix dans son ventre. J'aimais le rire de ses rêves et ses gémissements de femme honorée. Henri avait-il entendu sa mère faire l'amour ?

— Pourquoi parler, monsieur Haguesseau ?

— Pour séduire.

— Séduisez-le. Donnez-lui le goût de la beauté.

— Il l'a. C'est même hallucinant.

« Séduire »... Il ne faisait que ça ! Le méde-cin brandit, joyeux, une cassette de magnéto.

— La voilà, la seconde chose importante que nous avons observée. Il parle. Il parle la nuit dans son sommeil.

J'étais stupéfait. Je savais que je parlais dans mes rêves, je m'époumonais même à chanter et parler en dormant, mais de là à émettre des sons... Henri Haguesseau ouvrit des yeux ronds. Puis hurla de bonheur :

— Voilà pourquoi l'obstacle physiologique n'existe pas !

Le médecin lui fit écouter quelques mots enregistrés pendant mon sommeil paradoxal.

— On ne comprend pas ce qu'il dit, n'est-ce pas monsieur Haguesseau ? Mais ce sont bien des mots.

Henri offrait un curieux visage. Tragiques puis souriants, ses beaux yeux bleus s'embuè-rent, et une larme coula, petite bille humaine indécente, me gênant affreusement.

— Si, on comprend... Il parle anglais ! Il dit des bribes des « Daffodils », le poème des petits Anglais... Il dit des bribes de poésie en rêvant...

13

Vignes, le psy, se rengorgeait : le grand Haguesseau quémandait à nouveau son aide...

— Vous devez revoir Julien. Il n'y a aucun obstacle physiologique à ce qu'il parle. Il a entretenu son matériel tout seul, la nuit, comprenez-vous ? Il faut que vous revoyiez Julien ! Il est d'accord.

Il m'avait tellement supplié que j'avais accepté. Je l'observais, se démenant contre mon mutisme, excité, pauvre mouche dans un bocal dont je ne savais même pas où était l'ouverture. Il luttait avec Julien, muet, à côté de Julien, spectateur. Vignes ne plaisait pas au philosophe, mais il m'avait déjà suivi et il était subtil. Il commença à l'interroger sur ses rapports avec moi. Apprit, l'air entendu, qu'il avait eu une très brève liaison avec Fleur.

— Bien... bien. Après tout, cinq ans ont passé. Je vais appeler sa mère.

Contrairement à ce qu'Henri craignait, Fleur ne fit aucune difficulté.

Il nous reçut donc. Fleur jacassait et faisait l'intéressante. L'autre prenait un air malin. Un magnéto tournait. Il disait : « Vous êtes une vieille routière, madame. Vous avez roulé pendant des kilomètres. » Il était vulgaire. Elle, méprisable, gloussait.

Deux séances passèrent.

— Alors, ce psy ? me demanda Henri.

Je détournai la tête.

Fleur s'habillait de façon indécente. Les conversations tournaient au marivaudage. Dès la troisième séance, pressée par le psy, elle pleurnicha et déclara, en tirant sur sa mini-jupe, que Pierrot, au téléphone, l'avait traitée de « belle pute et belle salope ».

— Pierrot, balbutia Vignes, vous voulez dire votre... votre...

— Oui, mon père.

Vignes défaillit. De ma vie je n'avais vu tel concentré de lubricité sur un visage. La séance fut expédiée et il décréta souhaitable – « pour la thérapie du gosse » – de voir la mère en tête à tête.

— Je continue seule avec Vignes ! apprit Fleur, émoustillée, au philosophe.

Et elle lui résuma les choses. Il éclata de rire. Nous partîmes visiter le Panthéon pendant que Fleur était en « séance ». Il ramena son mètre quatre-vingt-quinze réjoui à hauteur de mes yeux.

— Julien, on va piéger le psy. Je l'avais surestimé.

Et il réfléchit à haute voix sur la manière de le coincer, tandis que je trépignais et manifestais ma joie : enfin un de ces salauds qui lui passaient dessus allait payer ! Je riais. « Que je t'aime, Henri ! »

— Allons fêter ça !

Ce fut à la brasserie Lipp. Le gérant vint lui serrer la main, puis le maître d'hôtel, puis le serveur. Il dénomma les célébrités locales.

— Tu es un garçon tellement à part... J'aimerais...

Qu'aimerait-il ? Que je devienne un intellectuel mondain comme lui, craquant un gros cigare et l'allumant, et saluant une personne toutes les trente secondes ? Pour l'instant, je lisais dans ses yeux un peu fanés une curieuse tendresse mêlée d'ébriété.

— J'aimerais que tu saches aimer. Et te

faire aimer plutôt que tu ne saches aimer. Tu es un petit garçon et, pour l'instant, il n'y a pas de problèmes. Mais un adulte perd la faculté naturelle d'aimer. Enfin... j'ai perdu cette faculté. Si tant est que je l'aie jamais eue.

Il sourit. Puis :

— Les hommes et les femmes se détachent de moi depuis que je te connais. Ils m'adoraient parce qu'ils me craignaient : je les démolissais dans mes articles, mon émission de télé, ou dans la vie quand ils s'attachaient à moi. Tu ne peux pas imaginer la quantité de venin que j'ai pu sécréter... Depuis qu'ils me sentent faiblir, ils hésitent. Ils ne comprennent pas encore. Bientôt la curée ! Il n'y a que toi qui devines que, loin de m'affaiblir, je me renforce à ton... école. Tu as peur de moi ?

Non. J'avais vu ce dont il était capable avec le directeur de l'école primaire, mais il ne me faisait pas peur. Et tout à trac il me récita « The Daffodils ». Avec la scansion, la douce scansion de la mère du petit Anglais. Quel choc !

I wandered lonely as a Cloud
That floats on high o'er Vales and Hills
When all at once I saw a crowd
A host of dancing Daffodils...

128

Je serrais les mâchoires, le nez dans mon assiette. J'en tremblais. Il remit ça. La mélodie nostalgique de la poésie anglaise... Je bouchais mes oreilles, mais ne pouvais m'empêcher de répéter mentalement avec lui :

Along the Lake, beneath the trees
Ten thousand dancing in the breeze.

Silence tendu.
— Tu vas fouiller le sac de ta mère.
Il avait du flair. Je trouvai dans le sac de Fleur une lettre du psy, une lettre de pur désir emberlificotée de phrases thérapeutiques, proposant un séjour dans sa maison de l'île de Ré. Dès le lendemain, je la rapportai avec ferveur au philosophe qui m'attendait au Flore.
— Julien, le terme correct est « abus de confiance ».
Je n'étais pas tout à fait d'accord, vu la façon dont Fleur agaçait les nerfs du pauvre homme. La lettre affirmait que ce voyage serait décisif pour la thérapie. Le philosophe prépara des doubles de la lettre, pour l'Ordre des médecins, l'Association des psychanalystes, la direction de la DASS et, enfin, son avocat. Il

ajouta et signa une brève missive manuscrite qu'il glissa dans une enveloppe.

— Quoi qu'il arrive, me dit-il, tu accompagnes ta mère. Et tu remets ça au psy.

Nous étions assis, et Vignes, debout, pâle, tremblant, lisait la lettre signée Henri Haguesseau et n'arrivait pas à parler.

Fleur commença à minauder et à exhiber ses dessous. L'autre hésitait entre nous foutre dehors en hurlant et nous présenter ses excuses. Fleur disait que oui, pourquoi ne pas aller seule à l'île de Ré, et sa jupe remontait jusqu'au nombril.

J'étais ivre de joie, et Vignes me regardait, haineux, dans un état proche de la démence. Il s'assit, accablé, fondit dans une sorte de meuglement qui voulait être des larmes, s'excusa en geignant, dit que tout avait échoué, et poussa ma mère incrédule vers la porte avec un chèque. Les vingt mille francs exigés à titre de « dédommagement thérapeutique » par le philosophe au terme de sa lettre.

Sur le bateau-mouche, le visage du philosophe était perplexe. Il me fixait avec plus d'intensité que d'habitude.

— Malgré le chèque de Vignes et ma promesse d'étouffer l'affaire, j'ai envoyé mon petit dossier à la Société de psychanalyse et à l'Ordre des médecins. Il est cuit. L'honnêteté n'existe pas, avec ce genre de cafard.

Soudain je ris, mais je ris ! Quel fou rire ! Autant qu'avec Pierrot. Oh, comme j'avais envie de lui raconter la tête du psy ! Et comme j'étais heureux qu'enfin un des innombrables salauds qui avaient voulu passer sur le corps de ma mère paye pour ceux qui y étaient passés ! Sacré philosophe ! J'aurais aimé qu'il chante de joie un de ses tubes d'ancêtre...

Le contraire. Il craqua.

— Tu parles ! Tu parles ! Je le sais ! Je vais t'en faire baver !

Son visage était méconnaissable. Une mutation biologique ! La jouissance et la haine personnifiées ! Il jura, me secoua par le col de mon beau blouson, commença à me bourrer de coups de poing, me souleva comme un chiffon. Je gémissais, incrédule, désespéré. Une demi-heure plus tard il m'enfermait dans son bureau, quai Malaquais.

Je passai la matinée dans le noir, bouleversé. Mon univers de confiance et de complicité, dont le sommet avait été le piège posé à Vignes, s'était effondré.

Le philosophe, la tête pleine d'ignominies, arpentait le quai Malaquais. Pourquoi avait-il craqué ? Pris du plaisir à me terroriser ? « Si j'échoue, je le tue. »

Il revint avec sa tête de vampire, du Coca et une pizza. Il hurla et me terrifia, plus que Rachid et Pierrot réunis ne m'avaient terrifié, parce que j'eus peur de le perdre.

— Ça suffit, ce cirque ! Tu vas te foutre de ma gueule longtemps ? Tu veux pas parler ? Tu vas écrire. Tant que tu n'écris pas correctement, tu ne sors pas. Je préviendrai ta mère. É-cri-re. Les pleins, les déliés, les hampes et les jambages.

Il posa sous mes yeux la première page de l'*Essai sur l'origine des langues* et me la fit recopier. J'eus peur de le perdre, pressentis, je crois, cette horreur réservée aux adultes, la rupture.

Je ne savais pas vraiment écrire. Tout au mieux recopiais-je en capitales. Mais mes mains étaient agiles et, surtout, je faisais de mon mieux en silence. Merci, après tout, Henri Haguesseau, de m'avoir révélé en ce jour tragique que je possédais une des belles qualités humaines : le travail lent, consciencieux, le travail de bœuf, *bos suetus*. Était-ce mon silence qui en avait favorisé l'incubation ? J'étais de sa race. Les scribes, les hommes de la mémoire, du par-cœur. Je copiai, copiai encore.

À peine achevée, il déchira ma copie. « Recommence ! » Une fois, deux fois, trois fois. À la quatrième, il ferma le livre.

— Je te torture ? Dis que je te torture !

Je me tus comme toujours, et, cadeau d'enfant, merveilleux cadeau, recopiai son texte de mémoire, sans une faute, sans omettre une virgule. « Pas possible... Pas possible... » Sidéré, mais toujours avec un rictus mauvais, il redéchira ma page, et je la recopiai encore, sans une faute, jusqu'à ce que mes doigts se raidissent dans une crampe épouvantable. Il me regarda souffrir, torturé lui-même d'inextricables pensées dans sa tête, se haïssant comme jamais, et je ne pus m'empêcher d'être attendri. Il chassa mon regard d'un geste.

— Viens voir.

Il me conduisit face à la Seine et au Louvre. Il devait être sept ou huit heures du soir. La Seine était rouge et dorée. Sur son visage d'éphèbe grec aux blonds cheveux, imperceptiblement mêlés de gris, l'expression mauvaise avait cédé à celle d'un maître charpentier obsédé par la réussite de son meilleur ouvrier, et qui voit s'écrouler tous ses espoirs.

— Ça te plaît ? Tu préfères ta banlieue, sans doute... Un jour, le Louvre disparaîtra. Ta banlieue gagnera. Sois sans crainte.

Il me montra le casoar de son père, ses uniformes d'officier, son épée, son revolver. Puis des photos de son père, de sa mère, de lui plus jeune. Il était devenu pathétique. Je l'aimais, ce type affreux qui cherchait à extirper la méchanceté de son crâne. Soudain il s'effondra : « Pourquoi tu me fais ça ? Pourquoi tu me fais ça ? » Et puis : « Pourquoi suis-je impuissant ? Impuissant, incapable, Seigneur ! » Plus calme :

— Tu as gagné. Je te foutrai la paix. On ne peut rien contre la populace. On ne peut pas éduquer qui n'est pas éducable. Fous le camp.

14

Je réintégrai le studio. Fleur n'y était pas. J'attendis, luttant contre le sommeil. La veille non plus elle n'était pas revenue. À trois heures du matin, regardant le reflet de la lune sous le pont d'Austerlitz, je compris qu'elle ne rentrerait plus. Depuis combien de temps ne m'avait-elle pas fait le coup de la fugue ? « Ne pas pleurer... » Je m'endormis, les yeux ruisselants.

Le lendemain, je passai au Café Commercial. « Elle ne vient plus depuis deux jours », commenta le patron, M. Cario, qui ajouta : « Je ne sais pas pourquoi je te parle ; est-ce que tu parles, toi ? » Je me traînai à nouveau jusqu'au studio. Pourquoi faisait-elle toujours ça ? J'attendis encore, les yeux rivés sur le fleuve, attentif à tous les craquements de l'escalier. Et s'il ne venait plus, lui non plus ? Que

faire ? Aller à la recherche de Fleur et de Pierrot au Pré ? Et si le philosophe passait pendant
que je n'étais pas là ? Horrible et familière solitude, connue après le départ du père frappeur,
après chaque abandon de ma mère... Je
compris que j'avais cru, tout ce temps, pouvoir
échapper à l'abandon. Mais lui aussi m'abandonnait. Pourquoi ? Parce que je restais silencieux. Il jouait, s'amusait avec moi. Il avait
parié qu'il me ferait parler. Il ne m'aimait pas.

Tout ce bonheur, palpable soudain, qui
avait été le mien depuis le début de l'année...
les jouets, les promenades, les paroles attenti-
ves, les phrases, tout cela valait que je sorte de
mon silence, certes, mais je n'étais pas prêt.
Pire : trop impatient, il avait interrompu la
mue. Je voulais parler, maintenant, comme lui,
avec de longues et belles phrases. Fleur ne
reviendra pas, j'ai toujours couru après elle,
mais toi, Henri, tu vas revenir, n'est-ce pas ?

Il ne revenait pas. Il était un méchant
homme, il n'avait pas menti. Après deux jours
de l'incrédulité du chien jeté sur un bord de
route, je pris le métro à Bastille, direction Le
Pré, à la recherche de Pierrot.

Par quel enchantement surgit le philosophe,

et l'enfer devint le paradis ? M'avait-il guetté, suivi ? Sans doute.

Nous nous fixâmes. L'éternité passa. Il fallait que je parle, un mot, rien qu'un mot, là, sur le port... Impossible. Physiquement. Mon estomac dans ma gorge, je le suppliai. Il me regardait tristement, balançant son casque de motard. Il fit demi-tour et le paradis redevint l'enfer. L'appeler, alors qu'il s'éloignait, lentement, très lentement pour me donner le temps ? Crier : « Non, tu vas pas m'abandonner toi aussi ! » Crier simplement : « Henri ! » et j'étais sauvé. M'accrocher silencieusement à sa jambe... Pourquoi les sons ne sortaient-ils pas ? Plusieurs fois, dans ma vie d'adulte, il m'est arrivé de ne pouvoir faire, physiquement, ce que je devais – dire à une femme « je t'aime » quand il le fallait ; aider quelqu'un, refuser un accord –, je crois que cette saleté de Destin s'installe comme un démon dans notre corps pour nous jouer les tours les plus pendables. Là, le démon ricanait : « Petit pauvre, tu vas retourner dans ton taudis. »

Il disparut. Je me souviens d'avoir gémi, une longue plainte nasale, bouche fermée, issue d'un animal étrange. Que faire ? J'allai au Pré, gémissant toujours.

Au changement de Strasbourg-Saint-Denis, je fixai un Beur et un Black. Mélik et Mamad ! Cruels, contents d'eux, ils venaient de participer au saccage du cabinet du médecin de la cité des Rosiers. Mon ancienne vie me faisait déjà signe, et je souris, confiant. Mais eux aussi étaient contre moi :

— Haghoun, t'es habillé comme un bourge ! T'es bourré de thunes, pas vrai ?

Ils me coincèrent et s'amusèrent à me balancer au-dessus des rails. Je voyais la Mort dans la foule horrifiée, elle avait le visage précis, souriant et protecteur de Florence Haguesseau. Les haut-parleurs réclamèrent la police et les deux voyous disparurent. Non, ce n'était pas l'épouse d'Henri, mais une jeune femme blonde quelconque. Son sourire perça mon pur chagrin, ce chagrin de cristal des enfants.

Au Pré, je marchai vers la cité. Sur la place du marché, une autre jeune femme blonde, en qui encore je voulus reconnaître Florence, souriait en marchant, et, s'apercevant, surprise, que je la regardais, se rembrunit aussitôt, coupable de rêver aux anges. Délit de bonheur ! Pourtant, eu égard à mon âge, elle se reprit et me gratifia d'un large, grand et chaud sourire. Et là, soudain, se toilettant... la chatte ! Bob.

Elle se roula sur le dos en me voyant, gracieuse. Je vérifiai le tatouage. Comment était-elle revenue au Pré, depuis le Père-Lachaise ?

Je restai assis avec elle sur les genoux plus d'une heure, à caresser inlassablement sa tête de mon front, à conserver longtemps le sourire de cette jeune femme, à m'apaiser.

Je repartis vers le quai de la Rapée.

Au studio, je grignotai du pain rassis, puis m'installai dans le fauteuil, face au spectacle éternel du pont d'Austerlitz bouché, comme la voie Pompidou, enveloppée peu à peu de la nuit et des lumières des milliers de fanaux, tremblant sous une pluie fine comme des torches, et je m'assoupis.

Henri entra.

Il était revenu.

Les projecteurs d'un bateau de touristes éclairèrent la pièce, et il dit, caressant mes cheveux – c'était la première fois qu'il me touchait sans hésiter, avec tant de douceur :

Les ombres, les flambeaux, les cris et le silence,
Et le farouche aspect de ses fiers ravisseurs
Relevaient de ses yeux les timides douceurs.

Il répéta, rêveur, désignant les lumières tremblantes dans le silence :

Les ombres, les flambeaux, les cris et le silence...

— Demain, nous irons à la Comédie-Française.

Le dernier chiffre du code verrouillant le cerveau d'un enfant venait de tomber avec un vers de Racine.

15

Néron était interprété par son ami Chauderon. Nous étions au troisième rang d'orches-
tre, je pouvais presque toucher l'acteur. Il nous
regardait, Henri et moi. Dans la joie de tous
mes sens retrouvant ce que j'adorais et avais
cru perdre, j'entendis une seconde fois les célèbres vers de *Britannicus*, par moi répétés muet-
tement dans le noir. Une transe me prit. Je
fus possédé par la tirade de Néron avouant sa
passion pour Junie. J'étais Néron. Ou Junie.
Jamais pareille langue n'avait imprégné mon
corps et mon cerveau. Que ça ne finisse
jamais !

C'était l'eau miraculeuse espérée depuis
cinq ans, Henri ! La fontaine qui allait ressus-
citer ma voix. Voilà pourquoi je ne parlais
pas : j'attendais depuis cinq ans les vers som-
bres lancés par l'Empereur parlant de sa cap-

tive. Ce soir, j'entendais le langage du baptême. Je baignais dans la langue qui efface toutes les souillures.

Nous allâmes voir Chauderon dans sa loge. Pour le philosophe, il répéta, *mezza voce* : « Les ombres, les flambeaux, les cris et le silence... » « Et le farouche aspect de ses fiers ravisseurs », enchaîna Henri, et les deux amis récitèrent une centaine de vers en buvant du champagne.

— Maintenant, me dit-il après que nous eûmes quitté l'auteur, nous allons dans un lieu où l'on peut observer la civilisation. Puis tu disparaîtras. Fleur et toi quitterez le quai de la Rapée.

Oh non, Henri ! Non ! Trop tard ! Je croyais que tu étais revenu définitivement ! Je ne veux plus jamais, jamais être abandonné ! Ô Dieu des Néron et des Junie, faites que je parle !

Nous arrivâmes à La Tour d'argent. Il y était connu comme le loup blanc. Nous regardions Notre-Dame dans le soleil couchant. Le philosophe était civilisé. Paris était le cœur de la civilisation.

— Plus tard, tu aurais pu déjeuner ici quand ça t'aurait chanté...

Il attendit en silence son canard, intrigué par mon sourire. Mangea. Demanda ensuite l'autorisation de fumer sans attendre le dessert. Il fuma en regardant alternativement les toits éclairés par la lune, la Seine, Notre-Dame, ma tête aux cheveux trop courts, et mes yeux verts, souriants, qui ne le lâchaient pas une seconde. Comme tu vas être surpris, cher philosophe !

— Tu ne me parleras jamais, n'est-ce pas ?

Dieu des Néron et des Junie, je vous en prie... Je dis alors, magnifique contre-ut :

— Je t'aime, Henri.

Le mot ricocha plusieurs fois dans la salle avant de l'atteindre. La différence entre un mot et une vérité, ça ne pouvait pas ne pas frapper un philosophe. Il ne savait plus où se mettre. Et j'ajoutai, éberlué moi-même, lentement, puis de plus en plus vite comme un enfant accélère pour ne pas perdre son équilibre :

Les ombres, les flambeaux, les cris et le silence,
Et le farouche aspect de ses fiers ravisseurs
Relevaient de ses yeux les timides douceurs.

Pause.

Silence réciproque abasourdi.

Et... j'essayai de lui expliquer l'« écriture divine », un torrent maladroit de mots dans la bouche. L'« écriture divine... ». Le scintillement aléatoire de l'eau, les lumières chaotiques, qui passaient devant mes yeux dans ma solitude, jusqu'à l'endormissement. Il comprenait. Il était émerveillé que j'aie pu saisir le sens de l'« écriture divine »... Ensuite je hurlai presque, faisant sursauter les convives des tables voisines :

— Je veux être acteur ! Je veux être acteur ! Je veux être Néron toute ma vie ! Toute ma vie, Henri ! Tu ne me laisseras jamais, n'est-ce pas ? Je veux dire des vers toute ma vie !

— Redis la tirade de l'Empereur amoureux.

Et je redis, d'une traite, sans une faille, la tirade à Narcisse de Néron. Une jeune femme applaudit en riant.

— Ta voix... Cette voix... Encore.

Et je répétai, doucement, très doucement.

Il laissa quelques gros billets, plus un pourboire de cent francs au groom. Nous étions dehors, dans la nuit presque chaude. Et, tout à coup, sur le quai de la Tournelle, il poussa des hurlements de Sioux, puis me fit tourner dans une folle valse tout en chantant la *Marche de l'Empereur* : « Les voyez-vous, les hussards, les dragons, la Garde ? » Il chantait et hurlait et riait, à dix heures du soir, dans la pleine lune d'un des plus beaux paysages du monde, entraînant dans sa joie les touristes. Puis il me colla sur la moto, un coup de kick, pas le temps de mettre de casque, et vroum ! Vers le Cours de théâtre Francastel.

« Les ombres, les flambeaux », criait-il.

« Les cris et le silence, hurlais-je en écho, les ombres, les flambeaux »...

Les répétitions duraient jusqu'à une heure du matin, parfois plus et, chance, Antoine Francastel en dirigeait une en personne. Il dut s'interrompre, et Dieu sait si interrompre Antoine Francastel n'était pas une mince affaire, et subir une harangue essoufflée du philosophe pour qu'il m'inscrive sur-le-champ dans son cours. « Antoine ! Antoine ! Fais ça pour moi ! Prends-le ! Tu auras tout ce que tu veux ! Tu le sais. » Il le savait sans doute puisqu'il obtempéra, enfin, donna rendez-vous pour le lendemain matin.

La vie était trop belle.

— Tu parles... Tu parles ! Moi aussi je... je...

C'était un homme qui ne savait pas dire « je t'aime ».

M'ayant raccompagné quai de la Rapée, il chantait à tue-tête la *Marche de l'Empereur* en rentrant chez Florence boulevard Saint-Germain, sonnait, bousculait la femme de chambre qui, pas encore couchée, si tard – tiens ? lui ouvrait avec une tête d'enterrement, entrait à grand fracas, abandonnant l'un après l'autre ses vêtements, veste, cravate, chemise, ceinture de pantalon, pantalon, pénétrait torse nu et en caleçon dans la chambre, hurlant : « Les hussards, les dragons, la Garde », puis sautait sur le lit en déclamant : « Les ombres, les flambeaux, les cris et le silence », et posait enfin les yeux sur Florence, gênée et souriante, en train d'entasser des affaires dans deux valises de cuir, dont une qu'il ne connaissait pas...

— Florence, je suis heureux, heureux, heureux !

— Je pars. À l'instant.

16

J'allume et je vois. Le film, noir et blanc, devient en couleurs. J'ai perdu le noir et blanc et sa nostalgie, certes, mais j'ai le ruissellement des couleurs.

— Je parle. Je par-le. Moi, Julien, je par-le (je suis devant la glace de la salle de bains). *Yo*, Julio, *hablar*. Moi, parler.

Le drame, immense tellement mon bonheur est grand, est de ne pas pouvoir parler à ma mère. J'ai son timbre. Aussi pur et léger.

Je ne peux quitter la glace, ni cesser de répéter « je parle, je parle, je parle ». Vous êtes-vous jamais découvert un talent physique ? Nouer, pour la première fois, les lacets d'une chaussure ? Tenir en équilibre sur un vélo ? Grimper à la corde ? Smasher dix fois d'affilée au tennis ? La mutation de toutes les mutations venait de s'opérer.

Je modulais, égrenais, goûtais les sons de ma voix, effrayé de cette mue, dénudé, décaparaçonné : « Je par-le. » « Je suis Julien, et je peux parler. » J'étais le paralytique qui n'ose essayer ses jambes miraculées, l'heureux gagnant du Loto au milliard qu'il n'ose dépenser... J'avais envie et peur, économe des mots, d'*essayer*, comme une voiture neuve, ma voix, lente encore, appliquée. « Un parler coloré. » « Des mots chatoyants. » « La couleur du langage », disais-je. Mots-fleurs.

J'ai pris *Le Grand Bob*, en ai lu le début avec toutes les intonations possibles.

Peut-être un ange, lorsqu'il apprend à voler, essaye-t-il prudemment ses ailes. J'essayais ma voix, la dépliais et l'admirais, volais un peu, très vite, puis très doucement, apeuré de tant de puissance révélée.

Je n'osais y croire. Toute ma frayeur de la vie s'enfuyait.

Je n'ai pas dormi une seconde. Je crois que j'ai parlé toute la nuit, usant et usant encore, jamais lassé, du plus bel instrument de l'humanité. Je n'avais pas sommeil. Dès huit heures, j'avais tellement envie d'offrir des mots de ma bouche à ma mère, que je suis allé voir, à tout hasard, Mlle de Séguier, sans cesser de parler à haute voix, tout le long du trajet, sur les trottoirs, dans le métro, mêlant la tirade de Néron à de profondes considérations sur les gens que je croisais. J'ai monté les escaliers conduisant à son bureau en parlant, de peur de m'arrêter, de « caler », je suis entré sans frapper et en parlant. J'ai cru qu'elle allait mourir de surprise.

Elle a bu à mes lèvres, puis a mélangé ses phrases aux miennes, et nous avons fait un duo pendant lequel nous contions mon enfance dans le XVIIIᵉ et le Xᵉ.

À onze heures, nous avons fait un grand silence. Je serrais mes lèvres avec le fou rire. J'avais le fou rire... parce qu'un flot de mots arabes surgissaient soudain entre mes lèvres, et que ça allait être une incroyable surprise quand je lui parlerais... Quelle tête quand j'ai commencé à bavarder en arabe avec un naturel d'ambassadeur !

— Tu veux que je parle espagnol ?

— Non, Julien, non... Ne casse rien... Ne casse rien.

Comme si j'allais casser ma voix !

Elle m'a donné l'adresse de Fatma, la Tunisienne qui m'avait élevé dans ma deuxième année. J'avais des images de femme au front et au menton tatoués, et j'ai voulu revoir ses tatouages. Sept ans avaient passé. Il n'y avait aucune chance pour que je la retrouve. Elle habitait pourtant toujours au même endroit. Et c'est en parlant à Fatma, que je ne reconnaissais pas, accroupi comme elle et irradié de son sourire de vieille femme à demi aveugle, que j'ai compris, rassuré, que je possédais quelques trésors de la terre, à commencer par son dialecte de la région de Djerba.

J'ai parlé, parlé, parlé jusqu'à épuisement, sans trêve, sans manger. Comme un pianiste recouvrant le don de jouer ne peut cesser d'admirer ses gammes et sa virtuosité. Trilles et arpèges, les sons roulaient de ma gorge.

Le soir je rejoignis Henri quai de la Rapée. Il m'avait attendu toute la journée.

— Tu as parlé à ta mère ?

— Elle est très heureuse. Je suis allé voir Mlle de Séguier... Et j'ai vu ma nourrice tunisienne.

Il mit une semaine à croire au miracle. « Tu

150

as une voix merveilleuse, une voix d'Infant, de grand d'Espagne », me disait-il.

Je voudrais pouvoir décrire l'émerveillement de cet homme. Les apôtres ne furent pas plus surpris en découvrant vide le tombeau du Christ.

Cependant il enrageait de sa séparation avec Florence et entreprenait un autre combat. Sa façade mondaine s'était dissipée. De même que j'avais eu pitié de l'ignominie de son visage quand il m'avait torturé pour écrire, j'avais pitié, et un peu peur de le sentir désemparé, ahuri, stupide et ravi comme un paysan devant une soucoupe volante. Faible, au fond. J'entrais, tonitruant, dans la vie et le langage. Il en sortait.

17

Elle était partie à Linz. Il s'installa quai Malaquais. Pourquoi, au moment de son départ, ce regard honteux et joyeux (se sentait-elle délivrée) ? De quoi était-il coupable ? Il lui parla chaque jour pendant un mois, au bout duquel il dut accepter la rupture, et, inconcevable et pourtant su de lui depuis longtemps, le fait de n'être plus aimé ; et il connut mes pensées du soir, au moment d'entamer une nuit blanche, compagne de l'horreur de l'abandon. Largué, plaqué, dropé, viré, jeté comme une chaussette ! Ses demandes d'explications se fracassaient, vague après vague, contre l'inexplicable injustice. Elle disait :

— Vous ne saviez pas que je ne vous aimais plus depuis longtemps ?

Il le savait, depuis toujours sans doute, et ne pouvait le comprendre.

Quant à sa mère, elle agonisait avec une majestueuse lenteur. Et plus sa fin approchait, plus les appels à son fils devenaient pressants.

Les philosophes, les savants, les sages sont pauvres devant l'amour. Son désespoir un peu trop ressassé et décortiqué devant moi – cette incapacité à se faire aimer qui le taraudait, mais pourquoi aimer un méchant homme ? il était, j'en suis convaincu aujourd'hui, un méchant homme – se heurtait, heureusement, à ma gaieté contagieuse et, sauf la nuit, pendant un mois, nous ne nous sommes pas quittés.

Je parlais. Je ne dis pas que je retrouvai l'« écholalie paranoïde », mais je bavardais tel un ressuscité. J'avais tellement de choses à lui dire ! Nous allions dans les cafés à la rencontre de leurs fantômes : le Flore, le Sélect, le bar du Lutétia ; puis les bibliothèques, ses « maisons », disait-il, Cujas, Mazarine, la Nationale, sous le péristyle de laquelle nous parlâmes des lectures qui l'avaient marqué à jamais. « À dix-huit ans la pensée est formée ; elle ne bouge plus. » Il saluait – partout – des connaissances. Laissait de gros pourboires. Me demandait du ton propre à la reine d'un salon s'il pouvait allumer un cigare. Fumait.

Nous parlions, parlions, parlions.

Il avait compris que Fleur ne travaillait plus au Café Commercial mais, je ne sais pas pourquoi, je lui cachai sa disparition. Certes, j'étais toujours un petit garçon, et j'avais droit à tout : grande roue, cirque, promenades en barque au Bois, Jardin d'acclimatation, zoo, Cité des Sciences, à condition de travailler. Je ne rechignais jamais, diction ou écriture.

Il m'offrit *Moby Dick* dans la traduction de Jean Giono, me lut vingt fois la première phrase, me demandant de la répéter religieusement vingt fois.

Je m'abreuvais, m'irriguais de langage. J'étais la plante asséchée qui reçoit enfin son content de pluie, j'étais le Sahara qui redevient une forêt tropicale.

L'intriguait que je fusse un élu, de même que mon incapacité à pleurer. Je pouvais mourir sous les coups sans un mot. « Tu es un guerrier apache. Un fils de chef destiné à lui succéder. Tu as été trempé dans la torture dès ton enfance. On a scarifié tes joues, incisé tes aréoles pour y glisser des lamelles de fer rougi. Et tu n'as rien dit. »

Une après-midi par semaine, j'allais au Cours Francastel, mémorisais des vers, travaillais ma diction, un stylo dans la bouche. Après l'école, à cinq heures, Henri me récupérait, nous nous promenions ou nous allions au cinéma, et je le retrouvais, ponctuel, le lendemain. Le soir, seul dans le studio, je récitais des vers à la Seine, trompant ma peur et mon angoisse par la cadence des alexandrins.

Un mois passa et Fleur revint. Elle sortait avec Pamphile, le nègre sermonneur, qui la pressait de réintégrer Le Pré-Saint-Gervais. Que je ne sois plus muet lui parut tout à fait naturel, comme il l'avait été que je le sois. Mes études lui étaient complètement indifférentes.

— Tu es contente que je parle ?

Elle ne répondit pas.

— Pourquoi ne vivrais-tu pas avec Henri ? Il est riche, il t'éduquera, il te donnera son argent.

— Ça t'est égal que je parle ?

— Tu vas être plus emmerdant. Tu pourrais vivre seul ? Tu serais prudent ? Tu nous téléphonerais en cas de besoin ?

Elle ne revint plus. Dire que je fus malheureux est un euphémisme. Je fus, comme toujours, très malheureux. Et, cette fois, ce malheur se transforma en rage. J'avais devant moi non plus le vide, mais quelque chose d'infiniment dense : les mots, la prosodie, « les ombres, les flambeaux... ». Qu'elle parte, après tout ! J'ai compris que l'on pouvait, comme le philosophe, haïr sa mère. Je n'étais plus à côté de la vie, observateur aigu et désespéré, comme au temps de mon mutisme, j'étais dans elle, la vraie vie, pas celle du « chien crevé au fil de l'eau », comme disait Pierrot. J'aurais pu demander à Henri de me loger, mais mon orgueil me l'interdisait. On n'imagine pas la force de caractère, la force physique, tout simplement, d'un enfant de neuf ans.

Le dernier jour de juin, Henri me dit qu'il allait à Linz voir Florence et qu'il serait absent une semaine. J'encaissai. Je réalisai qu'il avait maigri, vieilli, que sa bouche saillait plus encore dans son visage buriné et que l'interrogation habitait ses yeux. Finie, la superbe... Son cigare paraissait démesuré. Il faiblissait ? Non, il s'efforçait d'aimer ! Autant demander à un manchot de jouer du violon.

Ma parole recouvrée m'avait encore plus rapproché d'Amant, le bourgeois efféminé, « fillette ». Nous lisions ensemble les vers que j'apprenais au Cours Francastel. Puis il m'écoutait les réciter. Mais son admiration pour le récitant n'était rien à côté de celle pour le voyou de banlieue qui conservait de beaux restes. Je finis par le convaincre d'apprendre à traverser les rails du métro. Ce jour-là (pressentiment ?), je vidai totalement le sac de sa mère : mille huit cents francs.

Quai de la Rapée, la station est en courbe et le métro arrive très lentement. On ne risque rien. Je fis une démonstration. Je laissai passer deux rames. Puis je revins, désignant chaque fois, avant de l'enjamber, le rail conducteur. Et je me retrouvai à côté de lui.

— Prêt ?

— Prêt.

Je pris sa main. Il tremblait comme une feuille. Midi. Personne ou presque. Deux couples de Japonais, hallucinés, une jeune femme qui ne leva pas le nez de son livre, et quelques personnes éloignées, qui ne comprenaient pas vraiment ce qui se passait.

— Allez, on enjambe le premier rail conducteur... Voilà.

Le bruit de la rame. Je tenais toujours sa main.

— On ne s'affole pas, on a tout notre temps. Allez !

Impossible de le faire bouger. « Allez ! Allez ! » Je le tirai. Un roc. Pétrifié. Le grincement de la rame, de plus en plus fort, et, plus lointain, celui de la seconde rame qui allait nous prendre en tenaille. Je lui collai une beigne ; rien à faire. Je vis le visage du conducteur, entendis les hurlements des freins, les cris suraigus des Japonais, m'efforçai de lâcher sa main... impossible, il s'agrippait comme un futur noyé à son sauveteur. Je lui flanquai une telle gifle qu'il lâcha prise une fraction de seconde, celle qui me permit de passer de l'autre côté et de m'enfuir. Je venais de voler la mère et de tuer le fils. Je courus comme un fou, hurlant : « Henri, non, Henri, je te promets, je ne l'ai pas tué ! »

Pendant ce temps, au château de la famille de Florence, non loin de Linz, Henri dut patienter une heure dans le parc à grelotter sous les ondées des marronniers secouant les restes d'un orage et à découvrir que la frontière d'un amour mort a pour nom cruauté. Lorsqu'elle apparut pourtant, il la trouva plus douce et belle que jamais, protectrice, maternelle, tandis que ses lumineux raisonnements ressassés sur six cents kilomètres cédaient à des braillements :

— Pourquoi ? Pourquoi ? Je ne comprends pas !

Une lueur des yeux mal interprétée, et il attira ses lèvres vers sa tête si haut perchée. Elle se déroba.

Et, soudain, il comprit :

— Qui est-ce ?

— Ça ne vous regarde pas. Et c'est définitif.

Il la saisit à la gorge, la sentit défaillir, laissa tomber ses bras, ivre de haine, puis de honte, et s'enfuit sans un mot, sonné. Il emporta son désespoir en Grèce, la mère patrie de la philosophie.

Huit jours il erra dans le labyrinthe de son désastre, chutant, tombant encore, misérable dans ses excitations, ses grands commentaires et ses petites sentences assénées à des crétins de rencontre dans les ruines philosophiques, ruiné lui-même.

18

J'obtins les coordonnées de Pierrot par Rachid qui, lui aussi, se foutait pas mal de ma parole retrouvée. Lui aussi était indigne, indigne de cette chose merveilleuse. Pierrot sortait encore avec cette Nadia, employée de Pizza-Vitesse, qui vivait dans une arrière-cour place du Colonel-Fabien. Il était rarement chez elle, préférant la compagnie d'un VRP à l'Hôtel Optima en face de la porte de Saint-Ouen, de l'autre côté du périph, couchant par terre lorsque le gars était là, et dans son lit lorsqu'il voyageait.

— Alors, tu as plaqué ton philosophe ? observa-t-il, hilare.

Comment lui avouer que j'avais dû fuir Paris parce que j'avais tué Amant, mon ami ? Que j'étais terriblement malheureux d'avoir abandonné le philosophe ?

— Tu sais que j'ai toujours su que tu parlais ? Tu le sais, hein ?

Je ne répondis pas.

— Tu vas pas me refaire le muet, à moi, non ? Bon. Je suis très occupé. Tu dormiras chez Nadia.

Elle habitait dans un studio de douze mètres carrés où le soleil n'arrivait jamais. En plein été, il y faisait presque froid.

Nadia, la grosse Macédonienne... Cent kilos de bonté. Enfin quelqu'un qui m'aimait et ne voulait pas me bazarder ! Elle ne bouffait que des pizzas, arrivait crevée, enfarinée, sentant le pain chaud, faisait ses ablutions. « Ne regarde pas ! » Elle enfilait un tee-shirt, avalait sa pizza en trois minutes, au lit, et coma jusqu'au lendemain six heures. Sonnerie du réveil. « Ne regarde pas ! » Elle se rhabillait et filait. Elle me laissait vingt francs pour ma journée.

Le philosophe avait dit « dix jours »... Oserais-je aller à sa recherche ? Dix jours de tristesse passèrent sous une chaleur torride, je n'avais plus envie de parler à Nadia, le mutisme me guettait à nouveau. Je le sentais, j'allais me vitrifier peu à peu de silence dans cet été magnifique. Sentir la glace du mutisme me gagner, grignoter mon corps que mes forces abandonnaient, tel un homme perdu dans un désert de neige luttant de plus en plus faiblement, était une sensation affreuse et douce.

Nadia, de plus en plus exténuée, me contait ses soucis professionnels et me demandait conseil. Elle avait un « fiancé chéri », auquel elle envoyait deux cents francs par mois. Aux mots de « fiancé chéri », elle fondait en larmes. Hélas, le « fiancé chéri » venait de se marier ! Elle était « ruinée », mot qui possédait un sens même pour une pauvresse.

Un matin, tôt, apparut Fleur. Bizarre, ce visage tavelé, cette poitrine, elle si plate... Son nègre la suit. La Belle et la Bête. « Bon, sois prudent, hein, tu vois Henri au moins ? Et à bientôt, à très bientôt ! » Elle se balance, hésite. Son nègre rit comme un nègre. Il pue la sueur. J'ai froid dans cette cour toujours à l'ombre, ils ont froid. Elle finit par lâcher :

— Haghoun ! On part avec Pamphile à Montpellier ! Et... je vais avoir un bébé !

Je ne moufte pas, sonné.

— Haghoun... Je parie que tu as de l'argent...

Je tire la liasse de billets pris à Mme Amant, la lui donne. Ils filent.

C'était le dixième jour.

Peut-être était-il revenu de Linz ?

Incapable de retrouver l'entrée de son « bureau » par la rue Bonaparte, ni même la rue Bonaparte, je suis allé quai de la Rapée. J'ai attendu sur le palier du studio, quatre ou cinq heures peut-être. L'« écriture divine » était l'ombre d'une toile d'araignée. J'ai frappé à la porte du studio. Puis je suis retourné chez Nadia.

Elle est chez elle, à deux heures, avec un énorme pansement au bras et autour du visage : brûlée par le four à pizzas, dont elle a oublié de verrouiller la sécurité. Le jet de vapeur lui a balayé la moitié du corps, un jet tellement chaud que son chemisier de nylon s'est incrusté dans la chair. « Je lui avais bien dit de ne porter que du coton ! » a glapi le pizzaiolo avant de la fourrer dans sa voiture de livraison et de la débarquer, ensanglantée et aveuglée, deux pâtés de maisons plus loin, ni vu ni connu, c'est-à-dire devant une dizaine de personnes qui se sont éloignées.

Le Samu l'a transportée à Lariboisière. Pas de sécu, pas de papiers, pas de nom, incapable de parler, seulement capable d'entendre le médecin lui dire qu'elle va perdre un œil. Elle a quitté Lariboisière par peur de la police. Le plus drôle, c'est que les infirmières l'ont laissée partir, à moins qu'elles non plus ne l'aient pas vue.

Et la voilà chez elle, souffrant le martyre, m'implorant de son œil vivant.

Je téléphone à Pierrot, qui, miracle, est à l'Hôtel Optima, mais n'a pas le temps, « une affaire, tu comprends... ». Je comprends.

— La prière..., murmure Nadia.

— Quelle prière, Nadia ?

— La prière des brûlés... Il faut que tu dises la prière des brûlés...

Je dois tracer un signe de croix sur ses brûlures en reprenant après elle la prière. Je répète doucement son macédonien, en faisant une croix sur son visage, puis sur son flanc droit. Elle demande un supplément pour le bras, et le résultat est miraculeux. Complètement requinquée ! « Les enfants enlèvent naturellement le feu », dit-elle d'une voix normale, en se levant pour préparer du thé.

Elle me sert un thé, à moi l'homme. Puis

elle s'écroule sur le lit. Son œil pleure. Ses plaies aussi. Elle serre ma main. Dehors, haut dans le ciel, brille un soleil éclatant, le soleil qui n'atteint jamais son taudis. Dès qu'elle s'est assoupie, j'appelle les pompiers. Ils me font signer une vague décharge. Nadia est emmenée, son œil si triste fixé sur moi.

19

Ma mère et Nadia le même jour, c'était beaucoup. Je suis parti à la fourrière, là où autrefois je pleurais mes larmes en cachette. J'avais des pizzas séchées de Nadia, de l'eau et un livre, toujours le même, *Le Grand Bob*, qui m'a accompagné au long de cette histoire avec le philosophe.

Et me voilà, en pleine après-midi, sur la colline de Pantin, au milieu des bagnoles. Le ciel blanc assénait sa chaleur sur une mer de voitures. J'étais un naufragé sur une île curieuse, mais une île. Je regardais, fasciné, les milliers de carrosseries. L'isolement était total, la lumière insupportable, une lumière de désert d'acier et de verre. L'endroit était presque silencieux, seulement troublé de l'imperceptible ronflement de la fournaise. Au-delà s'enchevêtraient des dépotoirs et des casses, un incroyable amoncellement de carcasses et de ferraille, et, plus loin encore, les tours, le périph, la grande ville infinie, quelque chose d'à la fois minéral et victorieux, avec son nuage de pollution dans lequel disparaissaient les voitures comme des plongeurs dans le mystère de l'opacité. Une dizaine de rapaces d'une lenteur préhistorique tournaient sans trêve.

Les yeux fixes, comme lorsque, quai de la Rapée, m'hypnotisait la Seine, je m'emplis longtemps de cette mer incandescente et vibrante, où des feux follets brûlaient au-dessus des tôles, pleurant en silence dans la fournaise, puis, m'apaisant, me consolant dans ma solitude, comme je l'avais fait si souvent, attendant ce moment du regard absent où l'image s'arrête, fixe, dans le cerveau. Vers sept heures du soir, quand apparut un peu d'ombre, des chiens jappèrent. Je sursautai. J'avais dû dormir un peu.

La nuit tomba. Le gardien lâcha ses chiens, un couple de malinois qui vinrent aussitôt me rendre visite, ne grognèrent pas et se laissèrent caresser. Je cherchai une voiture pour dormir, me glissai sur une banquette arrière et me couvris d'un plaid.

Deux jours passèrent. Il faisait toujours aussi chaud. La nuit je me terrais sous la couvrante, replié en fœtus. La fourrière est l'un des rares lieux non éclairés de la banlieue et le ciel ruisselait d'étoiles. Un quart de lune parvenait à faire luire la mer de ferraille. Très loin, un nuage rose surplombait le chaudron de Paris, au ronflement adouci. Des milliers de rongeurs agitaient le sol, coursés par les chiens. J'avais peur. Le troisième matin je m'éveillai comme sur une plage, entouré d'un moutonnement de métal rutilant. Je terminai mon eau, grignotai mes pizzas plus sèches que du pain azyme. Qu'aurait pensé Henri de son Robinson des voitures ? Où était-il, le grand dadais plaqué ? Méchant homme que j'aimais ! Serait-il méchant avec moi aussi ? Je lui expliquerais, pour Amant : il me croirait. Non, il ne me croirait jamais, ni la mère d'Amant ni les flics. La MECS, la « Maison d'enfants à caractère social », l'orphelinat autrement dit, puis la prison. Eh bien, tous ces gens, les éducateurs, les flics, les Henri, les Pierrot, les autres ne me tireraient jamais plus un mot de la bouche !

Pourquoi eus-je l'idée de fouiller les voitures, ce que je n'avais jamais fait autrefois ? Une vraie mine ! Incroyable le nombre de conducteurs qui laissaient leurs portes ouvertes, et les objets qu'ils oubliaient... Accompagné des chiens frétillant d'intérêt, je me faufilai dans le labyrinthe, fis le mur non loin de l'entrée avec un baluchon contenant un appareil photo, des stylos et des babioles, plus deux chéquiers, et partis au Pré. Là, je proposai le tout à Rachid, doublement éberlué.

— Tu parles maintenant ?

— ...

— Où as-tu piqué tout ça ?

— Peu importe.

Pas la peine de lui expliquer la fourrière, que je connaissais comme ma poche. Il me donna un peu d'argent. J'hésitai à lui parler de ma mère. Finalement je me tus. J'achetai de l'eau et des biscuits, et rejoignis mon refuge, très excité à l'idée de détrousser à nouveau les voitures.

Le quatrième jour, étrange trappeur éveillé par le soleil déjà haut, je repris mes fouilles, avec l'âme d'un prédateur économe, attentif à ne pas épuiser la nature, songeant au philosophe et au chef apache héroïque auquel il m'avait un jour comparé... Me regagnait un goût doux-amer de la solitude et de l'enfermement, qui s'ajoutait au plaisir de voler. Rester seul, se taire, avec les deux malinois baptisés par moi Junie et Néron. Petit à petit, à la peur du silence succédait son bonheur retrouvé. Je redoutais un peu l'inéluctable, me débattis, puis cédai à la douceur de me taire, définitivement. Voilà ce que je ferais toute ma vie : je vivrais dans la fourrière, vendrais de temps à autre un objet à Rachid, et vivrais comme ce Kaspar Hauser dont m'avait parlé le philosophe, seul, attendant le coup de couteau fatal.

Quatre jours sans parler. Puis cinq, puis six. Le ciel brûlant, la nuit sereine, moi serein, voleur, je ne dirais pas heureux, mais lucide. Voleur de neuf ans. Le silence prenait place en moi, occupait petit à petit mon corps, mes poumons, ma langue. « J'ai eu froid dans le dos parce que tout à coup je me suis rendu compte que j'étais seul au monde », lisais-je dans *Le Grand Bob*. Seul au monde. Cette pensée d'adulte, d'homme nu devant la vie, je l'ai eue de quatre ans à neuf ans, chaque jour, et ces nuits d'été comme jamais. Voilà pourquoi, aujourd'hui, je n'ai peur de rien, et moins que tout de la mort amie.

La sixième nuit il fit une chaleur plus grande encore, une chaleur d'étuve odorante, étrange, romaine, la chaleur qui empêchait Néron de dormir lorsqu'il vit Junie emmenée par ses soldats. J'eus envie de remercier cette nuit et son ciel étoilé. Je ne crois pas aux signes. Mais à moi, petit garçon apeuré dans un océan de déchets et de ferraille, infiniment faible, et si fort pourtant, avec deux chiens aux regards doux fixés sur lui, la voûte amicale, scintillante et hasardeuse de l'écriture chaotique que je fixais jusqu'à l'hallucination adressa un signe, que je vis. Je murmurai, puis chantai, puis criai à tue-tête la tirade de l'empereur amoureux. Je déclamai, déclamai, sans pouvoir m'arrêter, ivre jusqu'aux larmes, puis sombrai, entre veille et sommeil, dans les alexandrins, sauvé. Et dès le lendemain, je repris mes gammes, déclamant *Britannicus* aux deux chiens attentifs.

Entre la fourrière et Nadia, je n'avais pas vu le philosophe depuis quinze jours. Lorsque je fus certain que la parole ne me quitterait plus, je revins au Cours Francastel, heureux de mon capital d'alexandrins emmagasiné : hélas, le cours était fermé jusqu'à la fin juillet, ce que constata deux heures après moi le philosophe.

20

Nous avons été séparés deux semaines. Puis nous nous sommes cherchés pendant quatorze jours, quatorze jours si longs, pendant lesquels je dormais tantôt à la fourrière, tantôt dans le studio de Nadia. J'imagine, aujourd'hui, cette quête de deux êtres minuscules dans la fournaise de la mégapole...

Le philosophe était revenu de Grèce, où il était resté une huitaine après son désastreux passage à Linz, pendant que j'étais à la fourrière. Mme Amant avait laissé chez lui, quai Malaquais, un message pour dire que j'avais disparu et que son petit garçon, sain et sauf, me réclamait. Il courut au quai de la Rapée, monta dare-dare jusqu'au septième, redescendit, ramassa dans la boîte aux lettres les cartes

173

postales envoyées d'Athènes et de Delphes. Puis il passa au Café Commercial. Fermé. Il revint à pied quai Malaquais, bondit sur la porte d'entrée de son « bureau » au moment où le téléphone sonnait. Fou d'espoir, il pensa que je l'appelais, puis réalisa, accablé, que je n'avais pas son numéro, qu'il était protégé, et que je ne pouvais pas l'obtenir.

La clinique des Cèdres le contactait disant que sa mère « s'éteignait ». Ah ! Ce n'était pas elle dont il désirait avoir des nouvelles !

« Bon, elle crève, et alors ? Ne pas oublier de parler à Julien de l'acoustique d'Épidaure. »

Et il prit d'urgence rendez-vous avec son notaire. Odieux par habitude, ou par désespoir, notre Henri Haguesseau ? Les mots « déréliction », « absurde » et « solitude » n'étaient pas usurpés, ces trois vautours rongeant le foie philosophique... De quelle flamme dérobée était-il puni ? Du mot « amour » usurpé souvent, lui l'incapable de se faire aimer ? « Julien, on va reprendre la vie de zéro. Parler, écrire, penser. Toi, tu déclameras. » La vie de zéro ! C'était le cas de le dire.

Peut-être sa mère songeait-elle, elle aussi, à l'instant de mourir, à tout reprendre de zéro ? Regarder enfin son garçon, l'observer à la loupe, le voir grandir comme une plante, elle qui ne l'avait jamais regardé ? Il partit pour Biarritz.

Impossible de lire, impossible de rien, sinon souffrir. Le voyage fut long. Pourquoi aller voir sa mère mourante ? Le sentiment horrible du devoir, du travail forcé. Pas d'endroit plus sinistre qu'un aéroport, pas d'espèce plus abjecte que le voyageur en avion, ce fanatique de la boîte à sardines. Il atteignit la clinique sous un ciel blanc de chaleur, indifférent.

— Elle veut vous voir... lui dit, dans un hall faussement luxueux – un hall lavé, pomponné, post-mortuaire – le médecin chef de la clinique des Cèdres, un homme à moumoute.

Cette moumoute, en un moment si grave...

— Elle vous a écrit, vous savez...

Comment l'ignorer ? Il avait poussé la cruauté jusqu'à répondre, lettre après lettre, qu'il arrivait. Goûtait-elle le retour du bâton aujourd'hui ? Souffrait-elle suffisamment ? « Nelly, chère mère, dès l'instant où tu meurs, je donne tout. Pas une cuiller n'y échappera. »

Il avait osé le lui écrire, la veille de son départ pour la Grèce.

La pauvre femme avait pris le coup en pleine poire. Les yeux enfin dessillés. Après soixante-douze ans, six mois et treize jours passés sur terre, elle découvrait, dans l'antichambre de la mort, accablée d'horreur, que son fils la haïssait depuis la naissance de sa conscience.

— Irez-vous la voir ?

— ...

— Irez-vous ?

— Non.

Il quitta la clinique à grands pas.

Elle mourut dans l'après-midi, au moment où le philosophe revenait sur ses pas, hésitant, n'étant toujours pas sûr de désirer voir ce sac d'os qui achevait la vie d'une femme somptueuse, courtisée, excentrique, dépensière, et, probablement, indifférente à son fils.

Le médecin chef, l'œil torve, pâlit quand le philosophe dit qu'il ne souhaitait pas voir le corps. Henri pouffa. La Camarde portait perruque.

« Une bonne chose de faite », se dit-il un peu plus tard au Rocher de la Vierge, machinalement abject, devant une mer verte, sinistre et polluée – l'infini ramené à la dimension de bouteilles et de sacs plastique chahutés éternellement par le flot.

Quai Malaquais, l'immeuble qu'il avait occupé seul, sans elle, depuis plus de deux ans, était soudain totalement imprégné de la présence de sa mère. Il fouilla, faillit tourner de l'œil en contemplant sa garde-robe : les dépouilles d'une vie, l'enveloppe d'un passage. Des chaussures, des robes de soirée vieilles de plus de quarante ans, conservées dans l'espoir d'une réutilisation. Des dizaines de blazers, de pulls, de chemisiers, de manteaux... Ne pas enfouir sa trogne dans les jupes, hein, l'ami ?

— Julien ! hurla-t-il.

Il feuilleta sa correspondance, examina ses photos. Un journal de lycéenne. Des prénoms fanés (Daisy, Hermine, Élisabeth...) étaient animés de grandes passions naissantes, de grandes fausses peurs et de grandes espérances. Tous ces corps jeunes, tellement avides de vivre et que des cancers avaient pourris dans des cliniques de province, l'âme rongée par la haine de leurs fils. Et ce journal était couvert de larmes, les siennes. Il repartit à ma recherche.

Il quitta le périph porte de Pantin direction la villa du Pré-Saint-Gervais où il m'avait vu la première fois, avec, dans son blouson, le pistolet d'officier de son père. Sept mois avaient passé depuis sa première visite. En banlieue, même les arbres sont répugnants, malades, anémiés, souillés comme des poulets d'élevage. La villa avait disparu. Il s'arrêta devant un panneau annonçant du « standing ». Quelques mômes vinrent regarder la moto. « Rétablir les bagnes pour enfants. Et tout raser. » Allons, allons, du calme. Après tout ce sont des gosses, des victimes sociales, pas vrai ? Victimes de tous les pays, je vous emmerde.

— Mais comment ai-je pu laisser Julien ! hurla-t-il en enlevant son casque de cuir, valeur deux mille cinq cents francs et protection zéro.

Mamad, Mélik, d'autres approchaient.

— Vous connaissez Julien ? Julien qui habitait là ?

— Julien... Haghoun ?

— Non. Julien.

Mélik siffla et cinq nouveaux mômes apparurent. Le plus âgé devait avoir douze ans.

— Tu prêtes la moto ?

Ils commençaient à toucher la machine, le cuir de son blouson. Dix secondes de plus, et il serait désarçonné. Son cœur battit, il dégrafa son blouson, sortit aussi doucement qu'il put le pistolet paternel, un vieux Luger, hideux. « Seigneur, faites qu'ils partent. » Il crevait d'envie de tirer dans le tas. Ils s'évaporèrent en un quart de seconde. « Je deviens fou. Julien... pardon. Tu aurais pu être au milieu de ces... de ces... » Il n'arrivait pas à les qualifier d'enfants. Il pétarada à cent à l'heure, en vain, sur le bitume du Pré-Saint-Gervais, revint à Saint-Germain-des-Prés.

Après avoir téléphoné au notaire, il apprit, contrairement à ce qu'il pensait, que sa mère ne le déshéritait pas. Elle lui léguait tout. C'est-à-dire un petit peu moins que rien. Elle avait vécu ces dernières années sur un énorme emprunt gagé sur son portefeuille d'actions puis sur l'immeuble du quai Malaquais. Le portefeuille d'actions n'existait plus. L'immeuble valait moins que les frais de succession et le remboursement de l'emprunt. Le plus prudent était de renoncer à l'héritage. Il était quai Malaquais, KO.

Il but un coup à la santé d'Althusser. Excellent philosophe au demeurant, le cher Georges. Le philosophe l'avait suffisamment critiqué de façon injuste pour qu'il le reconnaisse à cet instant. Et une gorgée pour Sartre, tiens. La troisième fut pour Hegel, la quatrième, particulièrement savoureuse, pour Kant. Il marqua une pause avant de s'envoyer Nietzsche. Bizarre, il n'avait pas commencé par Platon. Platon eut droit à un deuxième verre.

Il écrivit sa lettre de démission de l'Université en sirotant Aristote.

— Julien, j'ai perdu.

Pendant ce temps j'étais sur le pont d'Austerlitz, et faisais calmement ce pompeux et ridicule serment d'adulte, d'une belle voix de petit garçon qui n'a pas encore mué :

— Toi, la vie, je t'écraserai d'une main de fer.

J'ai marché encore jusqu'à Saint-Germain. Il y avait une chaleur épouvantable. Sur le parvis de l'église, je m'assis, trempé de sueur, observai des bourgeois malhabiles sur leurs vieilles pattes qui s'ébrouaient au sortir d'une messe vespérale. Je souris. Une vieille dame me répondit. J'errai à nouveau sur les quais, passai pour la dixième fois devant « le bureau » du philosophe sans le reconnaître, remontai la rue Bonaparte sans plus de chance, puis revins sur le boulevard, cherchai en vain l'immeuble où vivait Florence et, pour finir, poussai le tambour de la brasserie Lipp. Sait-on jamais ? Personne.

Puis le métro jusqu'à la Nationale. Je m'assis sur les marches où, un soir, nous avions parlé des bibliothèques et des livres. Et si je demandais à Rachid de m'aider à le retrouver ?

Je suis reparti au Pré. J'ignore où je puisais cette force de marcher. Rachid était encore derrière son étal.

— Rachid, tu ne veux pas m'aider à retrouver le philosophe ?

— Tu es grand ! Tu sais te débrouiller !

Pas si grand que ça... et même un petit peu fatigué. Je lui fourguai quelques bricoles ramassées dans les voitures.

Je suis reparti à la fourrière. J'ai récité quatre fois *Britannicus*, du premier au dernier vers. Dix-neuf mille cinquante-six vers sans une bavure : au moindre accroc je serais mort.

La nuit la fourrière ou le studio glacé de Nadia, le jour Saint-Germain. J'y passerais le temps qu'il faudrait, mais je le trouverais.

Et lui, après avoir essayé de retrouver Mlle de Séguier, partie en vacances, constaté une seconde fois que le Café Commercial était définitivement fermé, repartait errer au Pré, dans l'idée de revoir ce Rachid, vu quelquefois au Café Commercial. Ou peut-être ce Pamphile. Sans moto. Sans revolver.

Au marché du Pré-Saint-Gervais, il fit une petite halte devant un revendeur de livres au kilo : dix francs le kilo, surtout du polar, les mêmes mots que *La Raison pure*, en moins ennuyeux. Et... Le chat. Le chat, ou plutôt la chatte Bob, le regardait fixement.

La chatte, ma chatte ! Abandonnée avec moi au Père-Lachaise !

Il tendit la main, puis se ravisa, peut-être la rêvait-il, ou plutôt le rêvait-elle... Non. Bob, bien réelle.

— Victoire ! hurla-t-il, et aussitôt il reconnut Rachid.

— Rachid... où est Julien ?

— Dégage.

— Où est Julien ?

Le philosophe parlait avec un calme olympien, et les dieux approuvèrent, qui interrompirent leur sieste pour observer la querelle naissante. Une risée toute marine rafraîchit le marché, et le beau visage de Rachid s'affirma méditerranéen.

— Rachid, je cherche Julien.

— Il était chez l'ancienne copine de Pierrot. Mais tu ne la trouveras pas. Elle est repartie dans son pays.

— Pierrot, alors ?

— Parti avec sa fille.

Quelle poisse !

— Sa fille ?

— Partie avec son gros ventre et le futur papa dans le Midi.

Il tourna le dos, accablé.

— Hé, le bourge ! lui cria Rachid. Ton Julien, il est passé il y a moins d'un quart d'heure ! Tu ne le reverras jamais, jamais, pauvre dresseur de singes !

— Il t'a dit où il vivait ?

— Il ne parle pas ! Tu le sais bien ! Il est muet ! « Muet ! » hurla-t-il.

Et il éclata de rire, tandis que le philosophe murmurait : « Ananké », le Destin.

21

28 juillet, le jour le plus chaud du siècle.
Une semaine avait passé depuis sa démission
de l'Université, et celle-ci était revenue, accep-
tée en bonne et due forme, avec une célérité
maligne.

Sa mère était morte depuis moins de trois
semaines quand débarquèrent quai Malaquais
des huissiers mal éduqués porteurs d'ordres
d'un exécuteur testamentaire et, dans leur sil-
lage, des manutentionnaires qui empilèrent les
meubles puis les livres dans des cartons. Vite,
vite, ils agissaient en hâte. Il regardait le Louvre pendant que l'on déménageait sa vie. Lui
qui avait osé détester sa bibliothèque de Babel,
rêvé des murs nus d'une cellule pour y produire son œuvre, loin de la sagesse humaine,
voilà qu'elle disparaissait irrémédiablement,
cette belle bibliothèque à moi promise. « Pas

celui-là », eut-il envie de dire quand s'en alla ce petit livre de philo à couverture jaune acheté à dix-sept ans, en terminale, et qui était un peu comme son fétiche, lu et relu, mais il se mordit la langue. Sa pensée s'était formée à cette époque, n'avait guère évolué. « Que risques-tu ? Mourir ? Alors tu ne risques rien. » Cette phrase resurgissait soudain avec sa jeunesse passionnée de khâgneux et disparaissait dans les cartons. La philosophie dans un tonneau, la philosophie au marteau. Une statuette de chouette fut escamotée dans un linceul protecteur. Adieu, l'oiseau du soir. Et l'accompagnèrent la poésie philosophique et les penseurs du langage, puis Lacan et le temps où s'allongeaient les gens de sa génération, et enfin rien. Les hommes du soldeur de livres confectionnaient des cartons différents. Les ouvrages de La Pléiade, les livres d'art, les romans. Peut-être n'avaient-ils pas le droit. Sans doute aurait-il pu protester, demander un délai... Une explication au moins... Pourquoi si vite ? Qui se tenait derrière cette curée ? À quoi bon se plaindre puisqu'il la trouvait normale ?

— Monsieur Haguesseau, l'interpella un personnage faussement miséricordieux tout en feuilletant une édition originale qu'il fourrerait dans sa poche en partant, sans même se cacher.

— Pardon ?

Il n'écoutait pas.

— Monsieur Haguesseau... pouvez-vous trier les papiers personnels que vous souhaitez garder ?

Quels papiers ? Rien. Qu'ils prennent tout.

— Non ! Pas l'uniforme de saint-cyrien !

Ils rirent, dans l'accélération finale du naufrage. Les tableaux étaient arrachés aux murs, les lustres des plafonds, les statues de leurs niches, les glaces partaient l'une après l'autre, laissant les traces de leurs fantômes. Ces gens dévoraient son passé, comme les piranhas nettoient une bête encore vivante, pillaient sans plus s'occuper de lui, fourraient des trucs dans leurs sacs, le méprisaient, lui, cet Henri Haguesseau dont on parlait autrefois dans les chaumières, et dont on dirait bientôt : « Pauvre type ! » Quelle fin lamentable... Le grand Henri Haguesseau, le pire des salauds mondains, au bout du rouleau, si vous l'aviez vu...

Le soir, dans l'appartement nu, il téléphona désespéré à son ami Chauderon, qui lui donna rendez-vous le soir même après sa représentation au théâtre municipal de Versailles.

28 juillet, le jour le plus chaud du siècle, et le terme du plus étrange été de ma vie. À sept heures du soir, j'allai chez Nadia, mais la porte et la fenêtre avaient été murées pendant mon absence. Qu'étaient devenus mes livres, ma pièce de Racine, les quatre vêtements que je possédais ? Allons, pas de jérémiades. « Tu ne vas pas pleurer, Juli-en mon vi-eux ? » articulai-je, très fier de l'alexandrin et de la double diérèse.

Place du Colonel-Fabien, une affiche cent fois croisée me fit signe enfin : *Cinna,* mise en scène d'Antoine Francastel, avec, dans le rôle d'Auguste, Michel Chauderon, au théâtre municipal de Versailles. La première avait lieu... ce soir ! Allez ! Courage ! Écraser la vie !

En moins d'une heure j'arrivai devant le théâtre municipal, et là, catastrophe : je n'avais jamais vu autant de flics de ma vie ! Des fourgons, des motards, et des voitures noires. Des voitures descendait le gratin, des dames en robe longue et des messieurs en pingouin. Et tout ça ruisselait de brillants et jacassait.

— Hé, toi !

Un policier. Jeune. Rose. L'air doux, intelligent. Plutôt une belle gueule. « Si tu approches encore, je te casse ma matraque sur la tête. » Il l'aurait fait. Ses yeux impatients flamboyaient.

Je m'éloignai, tournai autour du théâtre, observai la flicaille qui souriait derrière les barrières de protection, heureuse de son boulot, se donnant du coude quand elle reconnaissait une star ou un homme politique, revins vers la grande entrée. Les chauffeurs ouvraient les portes, les hommes se rengorgeaient, les femmes souriaient, tous quêtaient les flashes.

J'errai dans la nuit chaude, attentif à la rumeur de la salle conquise. C'était bien long. Les spectateurs sortirent, les flashes crépitèrent encore un peu, les limousines partirent, puis la plupart des cars de police. Je cherchai à entrer dans le théâtre, guettai entre les jambes, en vain. La foule s'écarta au bruit des sirènes et une voiture de ministre passa. Il était plus d'une heure du matin. Fini le RER. Tant pis. Je dormirais là. Enfin, tard, bien tard, il y eut un remue-ménage. Les policiers étaient moins attentifs. J'étais au milieu des stars, des gardes du corps et des journalistes, me faufilant.

— Tu es têtu, hein ?

Une poigne sur ma nuque : le policier au doux visage.

— Increvable. Pourquoi es-tu aussi têtu ?

Personne ne faisait attention à nous, et il m'entraînait. J'allais passer un mauvais quart d'heure, sans doute le dernier, mais là, vraiment, ayant fait tout ce que je pouvais, je souhaitais presque un bon coup de matraque sur le crâne. Il allait frapper, je le sentais. Je connaissais la lueur du meurtre, l'avais vue dans les yeux d'un assassin de banlieue pour une place de parking ! Les lumières et le bruit s'éloignaient, mon regard se perdait, je me sentais partir. Il allait me tuer derrière un théâtre, à moins de cent mètres des stars et des importants fêtant leur bonheur. Je tentai, dans un dernier sursaut, de me dégager, en vain, je priai, priai Florence Haguesseau, comme le jour où Mélik et Mamad m'avaient balancé au-dessus des rails du métro, revis clairement son visage souriant et protecteur, et d'un coup tout revint, l'air parfumé de la nuit de Junie et Néron, la lumière, et une voix, pure, ironique, cette voix, la plus belle voix de la terre :

— Êtes-vous devenu cinglé, monsieur le flic ? Lâchez cet enfant !

Henri. Henri Haguesseau le philosophe.

— Henri ! hurlai-je.

Tout le monde se précipita vers moi, Francastel, Chauderon. Le policier fou disparut mystérieusement. Henri m'étreignait. Quelques flashes crépitèrent.

22

Une semaine plus tard Henri m'a conduit au Cours Francastel que j'ai fréquenté onze ans. J'ai renoué avec Amant, aujourd'hui grand journaliste, qui n'a jamais cessé d'être mon ami. À vingt ans, j'ai intégré le Conservatoire, à vingt-trois la Comédie-Française, et le succès est venu. Mlle de Séguier vient me voir jouer. Je n'ai revu Fleur que pour le décès de mon grand-père, il y a peu, et enfermé, d'après sa fille, « dans un caveau à décomposition rapide », le destin des indigents, paraît-il. Pierrot, qui n'avait rien été, s'était rapidement décomposé. Ma mère, comme toujours, était pressée de me quitter. Un soir, j'ai vu à la télé la barre de la cité des Rosiers, dynamitée, s'effondrer au ralenti dans sa poussière.

Peu après m'avoir confié à Antoine Francastel et Michel Chauderon, Henri Haguesseau s'installa en Bretagne, en bord de mer. Il devint professeur dans une institution privée et m'écrivit souvent, me donnant le goût des correspondances. Tous les deux mois, il venait à Paris et nous déambulions... en silence. À mon grand dam, Henri le bavard, à la douce et ironique voix un peu nasale, ne parlait plus. Je le sollicitais, le questionnais, en vain. Je bavardais donc seul, il approuvait par monosyllabes et souriait à ma vie d'adolescent, puis de jeune homme, mais je me lassai peu à peu de ce silence.

Au tout début de sa nouvelle existence, il travailla à un livre sur le langage, prétexte à user ses yeux dans la solitude et la lecture. En vérité, son unique et grand plaisir était de m'écrire. Ainsi, cette lettre choisie au hasard :

Mon cher Julien,

Le facteur, lorsqu'il m'apporte en sus de mon quotidien une lettre de toi, sait se montrer plus enjoué. J'écoute poliment. Il estime que certains métiers prédisposent à littérature, médecin par exemple. Je pense que facteur non plus n'est pas mal. J'ai au moins deux exemples de facteurs devenus grands écrivains, un Français et un Américain, et tu devras en réponse à ce courrier me donner leurs noms. Bref, comme tu l'as deviné, le facteur écrit. Et me voilà avec entre les doigts une de ses œuvres, qui n'est autre qu'un « Chant épique »... Deux mille décasyllabes, mon petit Julien, tout ce qu'il y a de plus ronflant !

Mon petit Julien, pas de découverte florale ce jour, et des programmes télé extrêmement reposants.

Parfois ces lettres ne contenaient que quelques phrases, un dessin, un petit quatrain, mais rare était le jour n'apportant pas quelques mots. Il évoquait ses lectures et la progression de son travail, promettait des pages. La question du bruit (les voitures, les voisins...) devenait une obsession. Il déménageait souvent, à la recherche du silence, et finit par s'exiler dans la dépendance d'une villa, seul.

Je suivais peu à peu son enfermement. Sa correspondance loin de s'aigrir devenait plus sage, plus sobre, plus philosophique en somme, souvent drôle. Elle évoquait, avec une grande gaieté, les liaisons qui avaient rythmé sa vie d'antan, les faux amis et les vrais envieux qui l'avaient entouré, les coups dont il avait frappé les uns et les autres, et cette rage et cette souffrance coulant dans les veines de ces gens si bien élevés ; il en riait ; et il contait ses promenades, donnait l'étymologie des noms de lieux et les noms des fleurs auxquels il revenait, inlassable amoureux des mots. Ses visites à Paris se firent plus rares. Il ne vint plus qu'une ou deux fois par an, et nous restions assis l'un en face de l'autre, silencieux, et j'étais désormais impatient de le quitter, ne le recevant plus que comme un cousin fâcheux auprès de qui l'on s'acquitte d'une parenté lointaine. Son regard éperdu d'affection me gênait. Il me contemplait comme une sorte de chef-d'œuvre, attentif à ne pas omettre d'enregistrer une parcelle de mon visage et le moindre de mes mouvements, comme si trois mille six cents Julien différents, tous plus passionnants les uns que les autres, s'étaient succédé devant ses yeux dans l'heure que je lui avais consacrée.

Peu après ma sortie du Conservatoire, j'eus mon premier grand rôle dans une pièce en compagnie de la fille d'un acteur célèbre et j'insistai beaucoup pour qu'il vienne me voir jouer. Il accepta. Je l'accueillis dans le petit théâtre, jouai, nous eûmes un grand succès et fûmes félicités dans les loges par une théorie de gens célèbres. Henri, souriant, un peu en retrait, dépassé, décontenancé – lui qui avait été l'un des princes de Paris ! –, essaya d'approcher, je lui fis de grands signes mais il renonça. Quand je me décidai enfin à le chercher, il était reparti. Je haussai les épaules et revins à mon succès. Plus jamais je ne devais le revoir.

Nous nous écrivîmes encore, puis mes lettres s'espacèrent, enfin cessèrent. Un jour il cessa à son tour de m'écrire. C'était il y a six ou sept ans. Voici sa dernière lettre.

Mon cher Julien,

De ma vie jamais je n'oserai te dire que je t'aime, et pourtant je dois t'aimer sans doute, bien que je ne puisse ni me l'avouer et moins encore te l'avouer. Aurais-je dû commencer par « mon Julien adoré » ? Mais tu as vingt-cinq ans, n'est-ce pas, et un homme de soixante-cinq ne dit pas à un homme de vingt-cinq qu'il l'aime. Et s'il ne le dit pas, c'est qu'il ne l'aime pas. Pourtant je crois, bientôt au terme de ma vie, que je pourrais mourir pour toi.

Quand je t'ai rencontré, j'ai vu dans ton regard une telle confiance, un tel besoin d'autrui en même temps une telle appréhension de petit animal habitué à être secoué et abandonné que quelque chose qui ressemble, avec le recul, à la grâce m'a saisi – pardonne ce mot si beau et si grave ; sans doute le père de Foucauld laissant choir un gant et trop orgueilleux pour le ramasser a-t-il ressenti cette chose au moment où ce terrible orgueil annonçait sa conversion. Ce jour, ma vie m'est apparue non pas vaine (je n'ai jamais douté de sa vanité), mais pouvant devenir, pour quelque temps, un tant soit peu honorable. Ce n'est pas moi qui t'ai sauvé Julien, tiré de ton milieu que j'exècre toujours et pour lequel je n'éprouverai jamais une once de pitié – et toi non plus, j'espère –, c'est toi. Tu m'as aimé, Julien. Et je croyais t'avoir aimé. Mais voilà, le doute m'habite encore maintenant – et je suis heureux d'avoir été éliminé, il y a quelques années, de ta « première » où une partie du tout-Paris t'acclamait, je ne méritais pas ton succès – et je me dis que peut-être je ne t'ai pas aimé. Parce qu'un homme ne peut pas aimer. À La Tour d'Argent tu as dit « Je t'aime ! » avec une flamme d'enfant, alors que, cessant d'être muet, « adulte-muet » planant au-dessus du monde, tu redevenais un enfant. J'avais réussi à te faire redevenir un enfant. Et un enfant peut aimer. Mais un adulte, non. L'amour lui est définitivement fermé. La pas-

196

sion, le désir et autres saletés sont sa destinée, avec l'envie, l'orgueil, le vice et tout ce que tu veux. Voilà pourquoi les adultes abandonnent les adultes. Et parfois aussi les enfants. Et toi, tu m'as abandonné, Julien, oui, tu m'as abandonné. Tu es un homme, et tu vas connaître un immense succès et l'horreur de la condition humaine, c'est-à-dire l'impossibilité de l'amour. C'est pourquoi tu étais muet, et tu avais raison d'être muet. Parce que les adultes ne t'aimaient pas, au point qu'ils t'avaient frappé et abandonné. Mais l'abandon est la destinée de l'homme. « Pourquoi m'as-tu abandonné ? » demanda l'un d'entre nous, et non le moindre, avant de mourir. Moi qui ai tout trahi dans ma vie au nom de la pire des vanités, l'ambition, ma seule fierté restera d'être parti un jour à ta recherche dans une banlieue brûlante.

Julien, je ne peux pas dire « je t'aime » (ni te le dire à toi, Julien) et j'en suis désespéré. Voilà pourquoi j'ai découvert, au lendemain de notre embrassade à Versailles, quand ce policier avait voulu te tuer, que le silence est la seule attitude digne pour un être humain sur cette terre, ce que toi, petit enfant-adulte, tellement plus adulte que nous (moi, ta mère, ton grand-père et les autres), avais compris. Je me tais depuis des années et découvre un peu le désespoir lucide et heureux, oui, heureux, qui fut le tien, petit muet de la banlieue. Tout homme lucide ne peut que se taire. Mon regret, quand je t'ai serré dans mes bras à t'étouffer, quand je t'ai tiré des griffes meurtrières de ce policier, est de ne pas t'avoir dit le mot le plus difficile à dire pour un homme. Mais aimer un enfant n'est pas aimer un adulte. Aimer un enfant est une banalité physiologique. Et nous sommes deux adultes maintenant, moi dans le silence, toi dans le silence aussi, car tes torrents d'alexandrins, je le sais bien, ne sont que la cascade des mots masquant le silence de ton âme – et tu es une grande âme, Julien, adulte et abandonneuse. Un homme, quoi !

« Le silence est la seule réponse digne à la grande souffrance. » Qui a dit cela ? J'ai oublié. Personne. Moi peut-être. La grande souffrance, la tragédie, cher acteur tragique, est l'impuissance d'amour, et elle induit le silence. J'ai envie de vociférer, hurler et pleurer mon impuissance, bien qu'il n'y ait que toi qui comptes dans ma vie, toi seul, et que ton visage aux yeux si beaux soit la dernière image que j'emporterai dans la tombe.

Henri H.

Post-scriptum : Accessoirement, tu sais maintenant que celui qui est en haut est en bas, et inversement. »

Et il disparut de ma vie.

Épilogue

La salle applaudissait toujours, et des cris me tirèrent de la rêverie. L'empereur romain me regardait dans la glace. Oui, c'était moi, le plus grand acteur du moment. « Dumont-Dumont ! » puis « Julien-Julien ! » scandait-on. Sans doute Mlle de Séguier criait-elle avec les autres. Mais pourquoi Amant ne frappait-il pas à ma loge ?

À nouveau la douleur de la poitrine, familière soudain, charmeuse, se rappela à moi, et je fixai intensément la porte, avide de voir entrer mon ami. Et pourquoi n'entrerait-il pas avec un jeune garçon, émerveillé non par les ors et le velours du théâtre mais par la langue de Racine ? Je souris à cette idée, puis me rembrunis en réalisant qu'une vieille femme que je ne connaissais pas me regardait. Étreint par la douleur, je songeai que ma vie n'avait été que de six mois, ces six mois passés avec le philosophe, et que tout ce que j'avais vécu depuis, la fameuse « gloire » qu'aiment tellement les hommes, avait goût de cendre.

Qui était cette femme ?

— Je ne vous avais jamais vu jouer en chair et en os. Vous êtes très brillant. Trop, comme disent vos ennemis. Décidément, j'ai dû bien changer... Florence... Florence Haguesseau... Il est vrai que nous ne nous étions vus qu'une fois, il y a si longtemps ! Oh... J'aurais pu vous contacter hors du théâtre, mais je tenais à entendre cette voix dont Henri avait tant rêvé... Sur laquelle tant de gens glosent aujourd'hui... Voilà...

Elle hésita, eut un geste attendrissant de jeune fille.

— Je voulais vous parler d'Henri. J'aimerais vous revoir pour évoquer cet homme. Un peu. Très peu. Il est le seul qui a, je crois, compté dans mon existence plutôt... agitée. Je me suis remariée, j'ai échoué. Avec qui essayer de comprendre, le comprendre, sinon vous... qu'il a aimé ?

Je n'ai rien dit.

J'ai tendu la main vers elle, tandis que la vie revenait en moi.

*La composition de cet ouvrage
a été réalisée par Nord Compo
à Villeneuve-d'Ascq,
l'impression et le brochage ont été effectués
sur presse Cameron dans les ateliers
de Bussière Camedan Imprimeries
à Saint-Amand-Montrond (Cher),
pour le compte des Éditions Albin Michel.*

Achevé d'imprimer en janvier 2003.
N° d'édition : 21150. N° d'impression : 030163/1.
Dépôt légal : février 2003.
Imprimé en France